Mañana Mañana
One Mallorcan Summer

by Peter Kerr

马略卡之夏：
明日复明日

［英国］彼得・凯尔 —— 著
李宇华 —— 译

译林出版社

图书在版编目（CIP）数据

马略卡之夏 ：明日复明日 ／（英）彼得·凯尔（Peter Kerr）著；李宇华译.—南京：译林出版社，2023.1

（马略卡的四季）

书名原文：Mañana Mañana: One Mallorcan Summer

ISBN 978-7-5447-8977-6

Ⅰ.①马… Ⅱ.①彼… ②李… Ⅲ.①随笔－作品集－英国－现代 Ⅳ.①I561.65

中国版本图书馆 CIP 数据核字（2021）第 257544 号

著作权合同登记号 图字：10-2017-511号

马略卡之夏：明日复明日 ［英国］彼得·凯尔／著 李宇华／译

责任编辑 赵 奕
装帧设计 任凌云
校 对 王 敏 孙玉兰
责任印制 单 莉

原文出版 Summerdale, 2001
出版发行 译林出版社
地 址 南京市湖南路 1 号 A 楼
邮 箱 yilin@yilin.com
网 址 www.yilin.com
市场热线 025-86633278
排 版 南京展望文化发展有限公司
印 刷 江苏凤凰通达印刷有限公司
开 本 787 毫米 ×1092 毫米 1/32
印 张 9.5
版 次 2023 年 1 月第 1 版
印 次 2023 年 1 月第 1 次印刷
书 号 ISBN 978-7-5447-8977-6
定 价 49.00 元

彼得·凯尔致中国读者的信

“这一切恍如一场美梦：一家人放弃了在苏格兰恶劣的气候下牧牛，转而来到 1500 英里[1] 外阳光明媚的西班牙马略卡种起了橘子。”

这是英国原版《马略卡之冬：雪球橘》的介绍文字，千真万确——除了非常重要的一点：我们这么做不是为了“圆梦”，而是因为在 1984 年，我们家传承了好几代的小农场在“以大为美”的现代化农业环境中不再可行，那时，机械化农作方式已成为苏格兰农村的主流。因此，几乎可以说是极不情愿和恐惧万分地，我和妻子决定放弃这片珍藏于心的安全和熟悉的土地，冒险在遥远的异乡另谋出路。在那里，家庭作坊式的小农场仍占主流。

当您读到这些关于我们马略卡冒险的记述时，您会发现

1　1 英里约合 1.609 公里。

我们对赖以为生的新农作方式一无所知，看似闲散的田园生活给我们带来了巨大的考验。我们遭受了相当多的挫折——如果不算是彻底的灾难的话——同时需要学会用一门新语言交流，努力调整我们的生活节奏以适应截然不同的气候和文化，去融入这个亲密无间的乡间社区，这个依然保留着古老传统生活方式的社区可不太习惯我们这些外来者闯入。但是，若诸事不顺，便以笑为良药——这句老话成为我们的座右铭，我们也随之开始了令人兴奋的生活新篇章。

我们的小橘子农场坐落在雄伟的特拉蒙塔纳山褶中，在这里，我们的邻居只有马略卡老村民，他们依然保留着传统生活方式，对新技术的主要让步是用小型柴油拖拉机代替驴或骡子。除此之外，他们照料果园，耕种农田，像祖祖辈辈一样一成不变，过着简单、从容的生活。他们很难理解为什么我们要从那么远的地方搬来这里，还带着两个年幼的儿子，来迎接这样一个连本地人家的孩子都不肯接受的未来。山谷中的下一代更喜欢去西班牙热闹繁华的海滨度假胜地，找份酒保或服务员的轻松工作，然后投身于西班牙灯红酒绿的聚会之中。

毋庸置疑的是，这些精明的乡下人一开始对我们疑虑重重，也许还曾怀疑我们是不是把脑子都丢在了苏格兰——管它苏格兰究竟在哪儿。然而，当他们清楚地认识到我们不是那种人傻钱多的疯狂外国人，而是预算紧张、勤劳肯干、自力更生的普通人之后，他们便接纳了我们一家，慷慨地出主意，尽力帮忙。

大多数当地人终其一生也不会走到比山谷到首府帕尔马之间的这 20 英里更远的地方去，即使有人需要去更远的地方，这种情况也十分罕见。因此，毫无意外地，他们特别喜欢问我们这一代人为什么对旅行如此着迷。一位老者认为，就算旅行真的可以开阔眼界，显然它并不是对每个人都适用。“毕竟，”他说，“如果一头驴子去旅行，并不意味着它回来就能变成马了。”他直接拿自己的儿子举的例！

巧合的是，多年后在欧洲大陆的某个图书节上，我受邀参加了一场类似主题的讨论会，虽然现场并没有同样尖刻的幽默意味。该国长期以来禁止出国，这一禁令直到最近才放宽，因此对许多人来说这是第一次可以自由出国旅行的机会。现场听众们很热切地希望听我这个局外人对他们长期被剥夺的权利给出点评。

有人问我：“离家远行是找到自我的好方法吗？是唯一的方法吗？旅行能不能带来幸福？”回答时我小心翼翼地避免引用那位马略卡岛老邻居“驴 / 马比喻”的原话，尽管那个比喻无比精准。显然，这种场合下人们希望听到更积极的回应。因此，我向他们建议，如果你的旅行是搭乘飞机前往阳光明媚的地方，在海滩上懒洋洋地躺上几周，那回家时你会快乐而满足，但不会使你比离开时更聪明。但如果你们骑自行车探索异乡的风土人情，或是在城市中漫步，发现并汲取这个地方和居民的特质，而不仅仅是参观景点，那么你的这趟品尝异国精髓之旅会让你获益良多。

我总结说，一切都取决于你对幸福的定义。就这么简单。但最好也提醒一下各位，无论如何都不能忽视财务问题。最重要的是要铭记一句老话：对旅人而言，最沉重的行李就是一个空钱包，也就是说，不管怎样，大家都要记得给自己留够买返程机票的钱。毕竟前路难料。

看着有些人脸上不服气甚至迷茫的神情，我不禁想，如果你总是想找寻求快乐的最佳方式，你很可能会一直郁郁寡欢。因此，为了缓解紧张情绪，我最后总结，虽然这山看着那山高，但别忘记月是故乡圆。有一首多年前的流行歌，歌词非常在理：

你往东走，
你往西走，
但总有一天你会发现，
幸福就在你眼前，
就在你的后院里。

三十多年后回看我们的经历，我只能说，在异国他乡开始新生活是一次真正充实的经历，不仅让我们意识到不同国籍的人的相似之处，而且教会我们要记住自己是客居者：如果想受到主人的欢迎，就要先尊重他们。

虽然命运为我和家人提供了这个机会，让我们踏上了一段令人惊喜的旅程，但并不是每个人都能获得这样一个改变人生的机会。我猜，这也不是人人都想要的。同理，对那些总抱怨自己原生地的人来说，去别处旅行可能也不是他们寻找幸福的最好方式。以我们马略卡老邻居的子女为例，年轻一代已经放弃了他们祖先长居的乡村，转而投身于现代都市生活的“进步”喧嚣之中。尽管老人们早已过世，他们小小的土地也被新型农业合并成更大、更“高效”的合作社，但许多离开的人现在依然会在周末回到这片他们年轻时生活过的简陋家园，向他们的孩子介绍这里过去的生活。那些旧时光，伴随着时间的消逝，都变得熠熠生辉。

眼下，全世界都在努力从这场全球大流行病的悲痛影响中恢复过来，人们有更多机会前往他们喜欢的目的地，也许国与国之间会形成一种新的情势，合作、信任、谦虚和相互尊重都更加重要。这听起来像是遥不可及的美梦，也许吧，但肯定是一个值得拥有的梦想。如果命运如此决定，这个梦想显然值得追寻。

彼得·凯尔

2021 年 9 月

翻译：李宇华

2021 年 10 月

随我来这宁静之岛，在这里，男人从不匆忙，女人永不衰老；在这里，言语从不浪费，白日阳光灿烂，就连月亮，也悠闲不已，缓缓转动。

——圣地亚哥·卢西尼奥尔《宁静之岛》

目　录

—— 1 ——

小公鸡与牡蛎

佛朗哥将军一定是得了失眠症，或者是感觉到了春天的气息。不管是什么原因，这只起了个独裁者名字又飞扬跋扈的小公鸡突然决意要扯着嗓子大声啼叫，宣布黎明的到来……我确实听到了啼鸣。

就这样，这位长着羽毛的将军结束了“市长府邸”农庄冬季里我们习以为常的珍贵宝藏——漫长、宁静的夜晚。我们的小农庄被芬芳四溢的柑橘、柠檬和许多奇异树木环绕，坐落在马略卡岛西南部高耸的特拉蒙塔纳山脚下郁郁葱葱的偏僻山谷中。这只傲慢的小公鸡主宰了邻居老太太玛丽亚·包萨的农舍，很明显，它决定只要自己醒着，整个山谷里所有的生物都得保持清醒。而这时我们好不容易才开始适应这里的新生活……

其实，为了适应马略卡当地人缓慢的生活节奏，非得养成“慢慢来”的心态不可，这对于我们这家刚刚搬来、想要融入本地生活的人来说并非易事。不过，这种海岛式的生活是那么悠闲，西班牙式的风格是那么不慌不忙，我们很快就发现自己已经扎根在一个称得上是“明日山谷”的地方。我们爱这里！

不得不承认，习惯了家乡苏格兰高度机械化的耕作方式，突然来到这个地中海沿岸的小果园，要适应这里主要靠人力的劳作方式，我们还真是吃了一惊。不过，现在我们也渐渐适应了，就像本地人说的，慢慢来。天晓得，这是唯一的办法。而且，我们一度下决心要不屈不挠地用西班牙语跟当地淳朴的新邻居沟通，这也一定让他们在私下聊天提到我们这家异想天开，要在这个与世隔绝、人际关系密切的社区里生活和工作的移民家庭时大笑不已。不过，跟我们面对面谈话的时候，他们总是彬彬有礼，很有耐心。

我太太艾莉常常会忽略他们语言中非常细微却尤为重要的习惯用法，即便如此，他们多数时候还是会对她很礼貌，偶尔有什么错也会假装没有注意到。例如，艾莉有个习惯是忽略西班牙语字母 n 的发音通常要加上 y 的尾音，这个毛病有一次几乎让她惹上麻烦。

那是一月初，艾莉新年假期后第一次在附近的市镇安德拉奇逛街，她一边大量采购家里快吃完的食物，一边愉悦地用自己演练纯熟的问候语向每个店主问好。可是当她从一位鱼贩那里待了一会儿回到车上时，我觉得有点不对劲。

“你看起来有点不高兴，”我问道，“怎么了？”

“都是那个卖鱼的，”她重重地摔上车门，大声嚷道，“他态度有问题，就这么回事。”

“你怎么这么说？市集日我曾和他在隔壁酒吧聊过几次，他看起来不错啊。”

“嗯，本来一切都好好的，直到我出门时跟他说了句‘新年快乐’，就不对头了。”

“哦？”

“对啊，他的脸色一下子就变得很难看，而且旁边排队的女人也都开始窃笑不已。”艾莉义愤填膺地哼了一声，“没错，虽然我听不懂他在吼什么，但是显然不是什么‘祝你愉快’之类的话，这点我肯定。”

“哦，那我猜你是用西班牙语祝他新年好的，对吧？”

“当然了，Feliz Ano Nuevo，还会是什么别的？”

我揉揉鼻子，试图隐藏嘴角的窃笑。“明白了，那么你说的是 ano，而不是 anyo。”

“当然啦，怎么了？”

“这个可怜的家伙刚刚在医院里动了痔疮手术，难怪他听了很不高兴呢。”

艾莉皱了皱眉：“可是为什么他动过手术就那么听不得别

人祝他新年快乐呢？”

“因为你说的是 ano 而不是 anyo。”

“那又怎样呢？”

“你说的并不是祝他新年快乐，就是这样。”

“我说的不是？”

“对啊，你说的其实是，”我笑得上气不接下气，连眼泪都快流出来了，“‘祝你新屁眼快乐’。”

现在轮到艾莉的脸色变得很难看了。

毫无疑问，这种语言上的笑话我们一定闹过很多，有些可能我们自己根本都没有意识到，这是意料之中的。不过就算有时候我们说了什么冒犯对方的话，也几乎没有一个本地村民有过任何不礼貌的反应——当然可怜的鱼贩是个例外，这也可以理解。我们至少尝试了，这点似乎得到了本地人的肯定，这样我们就很满意了。毕竟我们的首要任务还是让那个荒芜的小农场能够稍稍恢复它昔日沐浴在阳光下的体面样子。所以只要我们的学习曲线保持稳定，我们就很知足啦，甚至因为山谷里新邻居明显接纳了我们而觉得振奋不已。

然而现在佛朗哥将军却破坏了这一切。一连三个晚上，它不断打扰着我们迫切需要的甜蜜梦乡。好吧，并不是我从小到大都没听过公鸡早上报晓，但是重峦叠嶂、岩壁陡峭的马略卡山脉似乎把如此平常的乡村声音放大到了刺激神经的程度。更糟糕的是，佛朗哥将军根本不擅长打鸣。它大清早的努力听起来更像正在变声的瑞士民谣歌手发出的声乐杂技，而不像是公鸡君王豪迈的啼鸣。

小个子将军又扯着它的破锣嗓子吹了一次跑调的起床号。“老天，这只头脑不清楚的鸡崽子到底怎么了？”我嘟囔着，在一片昏暗中眯着眼看床头的钟，“该死的，还不到五点呢！它居然一天比一天起得早了！”

艾莉把身体蜷得像个胎儿似的，拉了拉被子一角盖住自己的耳朵。“闭嘴，睡觉，”她喃喃地说道，“现在还是半夜呢。”

“这还用得着你说吗！”

我太太有种气人的天赋，只要不是八级地震，就能安然酣睡，显然这种天赋也遗传给了我们的两个儿子——十八岁的森迪和十二岁的查理——我能听到他们震天响的呼噜声透过古老农庄厚实的墙壁传了过来。

小个子将军响亮的起床号再度从巷子另一端的小农庄院子传来，这次它的清晨礼赞得到了各个领地公鸡的回应，群鸡扯着嗓子，挥舞着翅膀，加入了这新一天即将开始的庆典。蹒跚的母鸡则在长满松树的斜坡上的小农庄里四处追逐，惊醒了原本沉寂的群山。

连艾莉也打起鼾来。

我躺在那儿，茫然地盯着天花板上昏暗的虚空，希望自己能再度入睡。这时附近橘园中刚刚睡醒的小鸟也开始了鸣唱，婉转的啼鸣声兴奋得犹如《兔子大哥》里合唱曲《美丽的一天》的试听会。妻儿香甜的鼾声仍然此起彼伏。我仿佛是这个山谷里唯一清醒的人类灵魂，忧郁地躺在那里倾听范温克尔母子合唱团在一个漆黑如梦魇的鸟舍里酣唱得快活似神仙。

接着，邻居老佩普家那只叫佩罗的傻狗在旁边巷子杂乱不堪的小农舍里吠了一声，紧接着又吠了一声，有点像挨了打后的哀嚎，毫无疑问，一定是因为睡眠不足的主人适时在它关节上踢了一脚，于是短暂地安静了下来。但是不良后果已经造成。佩罗成功地把山谷里所有犬科居民都推到了舞台中心，它们互相传染似的一通乱吠。每一只拴着的狗都忠心耿耿，想要吓跑想象中潜伏在农庄四周黑暗丛林里的成群野狼、强盗和妖魔鬼怪。

佩罗，干得好！它瞬间就把一场小小的骚动演变成一场大混乱。大自然宁静行驶的列车忽然脱了轨。

艾莉和我们的两个儿子仍打着鼾，对周围的一切浑然不觉。

我绝望地叹了口气。“唉，如果你拿它们没办法，”我一边喃喃自语，一边不情愿地拖着身体离开床铺，穿上衣服，“不如就去散个步。”

外面，清晨微微湿润的空气中还飘散着地中海夜晚的麝香味道。从敞开的门廊横梁下望去，农庄前方的景色美如梦境。微弱的光线下影影绰绰地显现出田野上静立着的古老杏树林，树木弯曲的黑色枝干伸入湖面晨雾的薄纱中，宛若忧伤静默的灵魂那扭曲的手臂和蜘蛛般的手指。

我哆哆嗦嗦地把外套领子拉到耳际，梦游似的向前方还在熟睡的果园慢慢走去。在眼前开阔的天地里，那些醒来的动物发出的吠叫及其他各种声音和周围环境浑然一体，渐渐不再那么令人抓狂。最后，我发现自己站在田野最远处角落的石砌水井旁边。我转过身，向我们的房子望去，越过果园梯田的斜坡，随着朦胧夜色逐渐消失，赭红色瓦片的屋顶隐约可见，百叶窗依旧紧闭，抗拒行将逝去的夜色侵袭。此时，一切悄然无声。整个山谷似乎被一种完全的静止笼罩了，灰影般的肃静将黎明前这奇妙的一刻封存。

南风轻轻吹过果树林，飘送着芬芳的气息，从长满野生桃金娘和麝香草的绿色山丘缓缓绵延到海岸线，这带有非洲气息的温暖香味让我不禁想象，躺在黑暗中神秘的非洲大陆就在越过地平线的地中海另一边。我不再羡慕艾莉和儿子们不受打扰的沉睡。佛朗哥将军其实是帮了我。

我的视线被高耸的加拉法山峰峦吸引，高高的山峰上方，一颗孤星还在漆黑的夜空中闪烁，嶙峋的山峰剪影此时正散发着光芒。此刻的马略卡是我以前从没见过的，它正从无限的宁静肃穆中渐渐苏醒。而我所见证的不仅仅是一天的诞生，也是一个新的季节的开始。

春天忽然到了，它降临的征兆随处可见。绿叶红花正在我周围热热闹闹地绽放着。不远处，在一株松树突出的树干上，一只雄雀正对着一颗默许的松果练习它年少生嫩的交配技巧；古老水井的泥砖护墙边，一头发情的公豪猪充满了近视的热情，正颤抖着狂嗅一把毫无反应的倒立着的扫把。没错，的确是春天了！

我不知道自己靠着井边的矮墙在那儿站了多久，我的感官愉快地享受着黎明时分万物生机勃勃的微妙魅力。在我动身踱步回自己的房子时，温暖的阳光已经洒满整个山谷，透过橘林茂密的绿叶洒向大地，果树的花香四溢，蜜蜂也开始嗡嗡歌唱。

“蜜蜂是果树的爱神丘比特，”老玛丽亚在我们刚刚搬进山谷后不久告诉我，“要是没有它们，果树之间爱的行动，以及随之诞生果实的结婚仪式就不会发生。”

我记得自己当时对她这种诗意的描述赞叹不已，因为多数人对大自然运作的细节，即使不全然视作理所当然，也只是被动接受而已。

“你需要个蜂窝。”我还愣在那里细品这出自我们淳朴邻居之口的浪漫话语时，老玛丽亚又加了一句。

她已经告诉过我，我需要一头猪、几只母鸡，还有一头驴子。虽然有点儿不情愿，不过猪和母鸡的确已经加进了我们的购物清单。至于驴子，要让她失望了，决不能让它取代我正规农场里拖拉机的地位。我心想，也许蜂窝这个主意也可以像驴子一样，一起锁在怪点子的百宝箱里。天晓得，要了解地中海沿岸水果的生长已经够我头大的了，没必要再用古代养蜂技术这种神秘玩意儿来加重我脑袋的负荷。决不，我家果树的爱情只好靠别人家里长翅膀的丘比特来射箭了。

不过，听着它们在果树花间嗡嗡乱飞的感觉很好，我在心里很欣慰地想，它们的忙碌可以说是在为了我们明年的收成播种。蜜蜂显然很喜欢这样的安排，而它们的主人（如果真有的话）也可以指望从别人的树上免费采集到柑橘花蜜了。这真是个皆大欢喜的局面。我一边漫步回家，一边咀嚼着这个想法。

虽然才七点，机械耕作的声音已经开始在山谷里回响——这也是春天来临、气候回暖的另一个征兆。这个时节，白天渐渐变长，很快就会进入炎热的夏天，那时，农庄的工作就必须在相对凉爽的清晨、傍晚和夜晚来进行了。

从巷子前往村庄的路上，我能听到送面包的雪铁龙 2CV（我们称为“面包人胡安”的面包车）嘎嘎响了两声，开始今天的送货了。一部轻便摩托车发出刺耳的声音，便是村里某个农夫正从家里出发，踏上前往山谷上方农场的路了。毫无疑问，他已经和几个朋友在村子酒吧里喝了几杯白兰地咖啡，吃过早餐了。飞速驶过隔壁农庄门口时，他还和老佩普打招呼：“嗨，佩普！”虽然隔着与“市长府邸”相接的古老围墙，老佩普大声呵斥狗的粗话和一连串叮叮当当的铃声告诉我，他已经赶着他的小羊群，往长满杂草的一处“牧地”出发了。他享有那块地的放牧权。

远处田野上的树林中，看不见的拖拉机单调的突突声也响起来了。

黎明终于破晓了。

我走进厨房时，艾莉和两个儿子正背对着我。艾莉在炉子旁煮咖啡，男孩们坐在餐桌前狼吞虎咽地吃着培根和煎蛋，从他们的吃相看来，这些食物名不虚传，真要感谢老玛丽亚家无花果喂大的猪和果园里放养的母鸡。

“早上好，爸爸。是不是又去睡了回笼觉？”森迪从丰盛的早餐上抬起头来看了我一眼，问道，“想不到你还需要补觉，整个晚上都能听见你房间里传来的呼噜声。”

“对呀，”查理一面狼吞虎咽，一面表示同意，“真受不了，声音大得我都没法合眼。”

我什么都没说，站在那里，微微点头，等着听艾莉绝对少不了的结论。

“孩子们说得没错，亲爱的！”她终于出声附和了，在她转身把咖啡递给我的时候，眼神里居然没有一丝自责，“你真该去看看医生了。”

今天周三，是安德拉奇镇的市集日。

森迪自愿做今天早上的“毛头司机”——这是他的用

词，开十七英里左右的车，送他弟弟去上学，沿路还要接三个比他弟弟还小的毛孩。不是因为他特别喜欢伺候四个“乳臭未干”的小子——这也是十八岁“成熟”的他用来形容小乘客的词——而是他不惜做任何事来逃避每天驾着我们的小巴维里拖拉机在田野上干活。跟他开习惯的马力十足的野兽相比，他有点残酷地把我们这台不够好看的柴油机称为一头装了马达的驴子——只是没上鞍而已。说实话，这也很贴近事实：一匹很小的两轮役马，你必须跟在它后面走，就像跟着头驴子一样，只是缰绳被手把取代了。然而不管怎样，在这个遍布树木、工作空间局促的小田野上，还是这种不够帅的机器比较理想。除此之外，就像我们另一位年长睿智的邻居豪梅在最初怂恿我买这种拖拉机时说的那样：“佩德罗，这可跟骡子不一样，毕竟，它不会把屎拉在你的靴子上。”

这个理由对我来说够充分了，对森迪却完全不管用。跟在米老鼠噗噗车似的小玩意儿后面，亦步亦趋地在田野上跋涉，这种形象显然很难打动他的心。至少他表现出来是这样……

总而言之，两个儿子开走了我们比较舒服的“家庭号”福特嘉年华，艾莉和我则把“农场号”西雅特熊猫的后座放倒，用一篓篓柑橘塞满车厢，这是赫罗尼莫先生今天要的货——他并非像查理最初想的那样，是位印第安阿帕奇酋长的化身，只不过是佩格拉海岸线上一位和气的水果批发商罢了。

“有两部车真方便。”艾莉表现出苦行者的乐观，设法在调到最窄的“熊猫”前座中让自己坐得舒服些。塑料柑橘篓重重地压着她的后脑勺，而从萨科马驶向安德拉奇的弯路上，每当我刹车时，总会有几个不安分的巴伦西亚柑橘突然飞出来，掉在她腿上。

“嗯，要是上好牌照，我就更高兴了。”我一面截获了一个落在仪表盘的柑橘，一面喃喃地说。我回想起当初乔克·彭斯可是点着头指向他那位二手车掮客朋友，拍着胸脯向我们保证没问题。

“恩里克这个老滑头！”乔克向我们亲昵地眨着眼说，“你看，跟大租车公司再也做不到更好的生意了。一年车龄、出厂不久、低里程数，每周都有保养，只要新车一半的价钱。简直是奇迹，转瞬即逝的机会，老兄！”他又眨了一次眼，好像我们是死党似的，“这就叫作关系，懂我的意思吗？关系，不瞒你说，就是在这个岛上的生存之道。”

尽管如此，整整三个月过去了。我们听了乔克的劝告，变成出厂不久、低里程数的“嘉年华”和“熊猫”的车主，骄傲的同时略有不安，上牌的相关材料始终没有来。

“没问题！”恩里克口口声声向我保证，一只手在我背上猛拍了一阵让我放心，另一只手则把我给的一沓钞票迫不及待地塞进胸前口袋里，“换作是我，我就不会拿缺材料之类的小事让自己烦心，老兄，这里是西班牙，办理这种事情需要时间。”他歪着头，耸起肩膀，一边嘴角上扬，露出“这有什么大不了”的表情，“朋友，你也知道这种大汽车公司是怎么回事，他们会让自己惹上官司吗？”我应该放轻松，冷静一点儿。材料要不了多久就能寄到了，说不定就是明天。“哎呀，没问题的！”

乔克是苏格兰人，在岛上已经当了好几年老师（业余时他在一家知名饭店表演，扮演著名的喜剧人物“改造先生”）。接下来几周，我遇到过他几次，谈到我的担忧时，他一再重复恩里克的那套处世哲学。

“老兄，不要杞人忧天啦！”他说，“你应该换个角度想问题。只要你没有拿到材料，人家就没有办法把车登记在你名下，对不对？”

“是啊，这正是我担心的事情。我的意思是，我既不能缴税也不能……”

乔克举起一只手打断我的话，脸上露出一种问询的表情：“所以，只要车子一天没有登记在你名下……”

我茫然地望着乔克，他那老师的姿态显然是在等我回答。

“孩子，你还没听懂我的意思，是不是？”

我摇摇头。

乔克也摇摇头，不耐烦地啧啧有声：“周末早上艾莉拉你去逛街时，你有没有把车停在帕尔马市中心？”

我点点头。

乔克也点点头，这回他得意地笑了。“交通一团糟，是不是？到处都是车，警察的违章停车罚单也满天飞，对不对？”

“没错，可是我看不出这有什么关联……”忽然间，我灵光一闪，“噢，等等……你的意思是说我可以把车停在任何地方，因为以前的车主……”

“会收到你的罚单！”乔克哈哈笑了，开心地品尝着无赖行径的甜美。

“不过……”

“没什么不过的！听着，你以为那些大租车公司在这个度假岛上是怎么处理每天收到的几十张罚单的？寄到英国、德国、斯堪的纳维亚或者随便什么地方吗？绝对不可能！兄弟，他们的做法是丢进碎纸机里。你的情况也完全一样，所以，尽量享受免费停车吧。”乔克恩里克式地耸了耸肩，“这在这里早已司空见惯。”

我没有被完全说服。“嗯，也许是的。不过，不管怎样，还是会有交警。如果他们控告我车子的养路费已经逾期，我该怎么办？”

乔克拍拍我的脸颊，屈尊般对我微微一笑：“只要傻傻地看着警察就好了，依你的情况来看这并不算困难吧，对不对？你可以大喊：‘听不懂！我只会讲英文！车子不是我的！租车公司的！’然后叫你太太对他抛个‘带我上床’的媚眼，再风情万种地回眸一笑，西班牙警察绝对吃这套，于是，搞定！问题不就解决了！”

“这样会惹上诈骗的罪名吧！”我无力地辩驳着，“还得面对各种和车有关的指控，恐怕会几个月都纠缠不清，说不定要好几年。”

“别担心！”乔克微笑着，“圆滑！老兄，圆滑一点，你得知道，这才是在这个岛上的生存之道。”

学习“慢慢来”已经够我受的了（关于这点，凭良心说，要想赶上大部分西班牙人一半的火候，我还有很长的路要走），现在乔克又要我“圆滑一点”，认为这个他极力推崇的特质应该成为我的第二天性，“做个放得开的苏格兰人，明白我的意思吗？”

我刚有点心领神会，眼前就出现了一个指挥交通的警察，站在刚出安德拉奇镇的十字路口中间。此时，我和艾莉正坐在堆满柑橘的“熊猫”里向他缓缓驶去。他示意我停车，然后缓步向我走来，举手投足间自有一份制服人士常有的霸气。如果我的苏格兰方格子基因里有任何圆滑的痕迹的话，此刻也让位给内心的道德了。

这个深不可测的执法者慢慢绕着车子巡视，透过墨镜明察秋毫地翻遍了车子的里里外外。

“看在老天的分上，千万不要对他抛媚眼！”我抿着嘴角压低声音对艾莉说。

“你说什么？”她倒吸一口气，提高声音生气地问。

“没什么，只是要你保持镇定而已……自然一点……”

“我本来就很自然，你自己才要镇定。”

“嗯，我是说……我们还没拿到驾照……”我的声音几如蚊鸣。

“不要那么神经质，”艾莉训斥我，“就算他真的问到那些，又有什么关系？我们实话实说就好了。你又没做错什么，真有什么麻烦的话，把恩里克那帮人揪出来就是了。”

和往常一样，艾莉永远是对的，纯洁的良知和完美的逻辑。很显然，有些事情我还要好好学学。

突然前面一阵喧哗，原来是一个年轻的拖拉机司机和一位赶着驴车的老农夫在争执该谁先过路口。争吵声转移了警察的注意力。在这个关键时刻，一个街头事件连接了年龄和科技的双重代沟。皱着眉头的警察挥手示意我们离开——表情有点不甘心，同时向拖拉机和驴子的方向吹着警哨，大步流星地赶去调解。当然，这段时间里连绵的车流并未中断，由于今天是市集日，运送渡轮观光客进城参观这一周盛事的大巴很快就排起了长龙。我在心底向掌管逃税的神明祈祷一声后，加足小“熊猫”的马力急速驶离现场。车辆喇叭声四起，群情激奋地抗议着十字路口的争执三人组。至于那头驴子，我从后视镜里瞄了一眼，它气定神闲，已经睡着了。

出了安德拉奇镇，去往佩格拉的道路坡度缓缓上升，上达安德里克索隘口。这个平缓山脊连接着宾诺里雅山和加拉法山林木茂盛的缓坡，一眼丰沛的山泉也在此地。通常，人们必须要睁大双眼注意这狭窄小路上一辆辆从泉水源头驶出的大型运水车，但是今天早上出现的只有一辆轻便摩托车，骑车的是位消瘦的马略卡农夫，他面带微笑，嘴角叼着香烟，一个购物袋晃晃荡荡地悬挂在车把上。

这就是霍尔迪·贝尔特伦，地道的安德拉奇镇人。他人住镇上，却耕种了山腰地带平坦肥沃的果菜园，这片狭长的土地比邻隘口丰沛的水源。霍尔迪的英文虽然粗俗，他却能说善道，几个月前偶然在安德拉奇港口书店认识他之后，我们就成了称兄道弟的好友，他也成了我许多宝贵意见和本地资讯的来源。

我按了按"熊猫"的喇叭，向他挥手致意。霍尔迪瘦长的脸上露出认出我的笑容，他伸手指着安德拉奇镇的方向，然后拇指朝向嘴巴，小指向天，这是马略卡人表示饮酒的手势。我竖起拇指，表示接收到了他的讯息，于是他掉头加速，呜呜响着驶下山去了，车后随之喷出一团废气和香烟的烟圈。

"你就是这么安排市集日的。"艾莉面无表情地说。

我决定小心地保持沉默。

佩格拉镇是个度假胜地，雏形中的都市。在游客拥入之

前，这里不过是个到处点缀着渔夫小屋的地方。这个城镇和慵懒的安德拉奇镇正成对比，因此和吸引我们前来、令我们倾慕的“真正”的马略卡毫无相似之处。尽管如此，我们还是把佩格拉镇视为固定的联络地，主要是因为此地拥有附近还说得过去的超级市场，以及我们必须打交道的帕尔马银行分行；当然，赫罗尼莫先生的水果批发交易也发生在此地。

我在小镇郊外的超级市场附近，让腿脚抽筋、屡屡被柑橘痛击的艾莉下车，然后继续我的行程，顺道在钢琴酒吧外面停留了一会儿，和笑口常开的老板娘打打招呼，说两句玩笑话。此时她正在打扫庭院阳台，打算开门做今天的生意。钢琴酒吧基本上是个不招摇、不讲究排场的用餐地，主要供餐后消磨厮混。成群的建筑工人和卡车司机到了每天的午餐时间都会挤在这里享受著名的日间特餐——三道大分量的食物，包括面包和一大杯酒，而全部的花费几乎是一般英国小吃店开胃菜的价格。难怪这度假区主要的德国人——退休了的移民，很快就明白来此用餐的好处，因为不仅不需要很大花费就能美餐一顿，更省掉了自己在厨房里动手的麻烦。

因此，食客云集、无拘无束的钢琴酒吧很早就被我们列入马略卡便宜午餐地的名单中了，这名单也越来越长。这时，老板娘向我介绍起今天的菜单，让我不禁饥肠辘辘起来。但是在享受大快朵颐的乐趣前，还有太多事要处理，于是我向老板娘道别，继续向街角赫罗尼莫先生的小仓库驶去。

和往常一样，狭窄的建筑里挤满了人：农夫正在装卸货物，零售商、餐厅老板、旅店的厨师忙着挑拣商品，过磅称重；送货工人拖着一篓篓的货物搬上卡车；而置身这一切当中的赫罗尼莫先生，则不知疲倦地一边收钱，一边付账。为了维护西班牙最好的国家传统，所有这一切都是现金交易。很明显，如果有任何所谓的记账这类事情的话，一切都记在赫罗尼莫先生的脑袋里了。可怜的税务人员若妄图从这明显不准确的系统——号称西班牙优良传统的系统——中理清纷繁复杂的税务关系，只能徒唤奈何了。当然，像赫罗尼莫先生这么诚实的人，是不会卷入类似麻烦的。

"对不起，先生！"他扫了我那些柑橘一眼，耸着肩膀很抱歉地对我说，"你今天拿来的其他货我都收，除了这两篓巴伦西亚柑橘。"他指了一下仓库后面一大堆篓子，"都是巴伦西亚柑橘，彼得先生，柑橘已经快过季了，巴伦西亚柑橘成熟得比较慢，所以现在有点卖不动。"他又耸起肩膀道歉，"今天早上我已经进了太多货啦。"

"噢，没关系。"我微笑着，努力不露出失望的神色，"我以为这是你想要的水果。"我一边道谢一边接过他仔细数给我的一小沓钞票，然后转身离开，把两篓没人要的柑橘拖回车上。

"等一下！"赫罗尼莫先生在我身后叫着，从批发仓库里跑了出来，手里拿着一把比草叶厚不了多少的绿色茎状植物，

“给你太太的一点小礼物。”他仔细观察了一下我困惑的表情，然后皱起眉头问道：“她不喜欢，是吗？”

“我不知道。”我茫然地盯着这些草一样的东西，“不好意思，但是，我的意思是……这是什么东西？”

“你不知道？”

我腼腆地摇摇头。

赫罗尼莫先生表现出难以置信的神情。“老兄！”他倒吸了一口气，“这可是无价之宝，马略卡农庄特产的‘鱼子酱’！”

“哦……真的谢谢你。谢谢你的好意！”我并没有稍微开窍一点，“可是，嗯……可是，这要怎么做来吃呢？”

“你不知道怎么烹调芦笋？天哪！”

“哦，芦笋！对，就是它。”我夸张地喊着，凑近看了这些绿色茎状植物一眼。的确是芦笋，像是我熟悉的粗粗胖胖芦笋的袖珍版。“这把芦笋看起来真不错。”

“不错？仅仅是不错而已？”

毫无疑问我冒犯了赫罗尼莫先生，忙不迭地向他道歉，承认自己此前对这种无价之宝完全不知。

于是他解释给我听，马略卡芦笋无疑是大多数人眼中的珍馐美味。他带着略微同情的表情看着我，如同在和白痴说话。

“就是看着挺小的。”没动脑子，我就蹦出这么一句冒失的话。

赫罗尼莫先生充耳不闻，仿佛对这句冒犯的话不屑一顾，继续给我讲解。这种芦笋是本岛的野生特产，而鲜嫩的芦笋，正如他给我的这些，一向是每年春季老饕们梦寐以求的东西。这也是为什么每年此时，路边的草丛都会被这些业余的美食家搜刮一空。

“法国人也许会吹嘘他们的松露是美味，”他不屑地哼了一声，“可是，老兄，那种贵得吓人、气味冲鼻的蘑菇，怎么能和你手中的马略卡珍馐相提并论呢？只要拌一点奶油，稍微调一下味，或者轻轻蘸点大蒜……告诉你，先生，有人简直会为它拼命！”

突然间，我为自己接受了这种无价的稀世珍馐产生了罪恶感，于是我试着向赫罗尼莫先生表达此意。“听我说，”我开口道，“请别误会我的意思，可是你自己也有家人……我是说，或许你应该……”

赫罗尼莫先生举起手，用一种安慰我的姿态摇摇头。“不要说了，我知道你的意思，可是我向你保证，我是带着一万分的诚意把这些芦笋送给你的，我的老友。”

“真的？”

“当然！”他朝我手中这堆绿色的东西摆摆手，转身朝仓库走去。“不过，”他转头高声对我说，“我自己是受不了这些东西的味道的。”

深信善行应继以义举的我，在途经钢琴酒吧时再度逗留，把一篓柑橘作为礼物送给老板娘，她惊喜不已，谢声连连地收下了，同时坚持非要为这么漂亮的柑橘付钱给我。她说，为什么不该付钱，种植柑橘毕竟是我的生意，所以我一定要收钱才对。我委婉地拒绝了她（我心里明白得很，在产量过剩的市场里，我在别的地方大概也找不到买主了），并且建议她也许还能带走我另外一篓柑橘。不行啦，老板娘礼貌地微笑着，她已经接受了我一份慷慨的礼物，不能再接受另一份了，她说我应该能找到更好的对象来送出这份好意。

我对这点不太确定，不过我知道老板娘不会忘记我这次小小的人情的，即使她的储藏室里已经堆满了打过折的巴伦西亚柑橘。我知道经过一段适当的礼貌期之后，她也会对我礼尚往来。虽然我们谁都没有施恩图报的心理，但是，当时机成熟的时候，我们都会优雅地接受对方的投桃报李，毫无不适之感。这就是我渐渐了解的西班牙人的处世之道。

“真遗憾，你没把它们留在树上。”艾莉一边帮我把超市手推车里她买的货物卸下来搬进车里，一边看着那满满一篓的柑橘，摸了摸自己的后脑勺说，“不然，我这一路上也可以免去被撞得瘀青了。”

她两点都说对了。橘子的确是留在树上最好，即使它们已经熟透了。这点，先前邻居老豪梅已经告诉过我。那时，我们刚刚开始在马略卡种植果树的冒险之旅，山谷里几乎其他每个农夫都告诉过我很多次，然而我非得等到这次亲身经历了过度饱和的市场，才能听进这些劝告。

“现在，你打算拿它们怎么办？”艾莉问话的语调里明显含着挖苦的味道。

我什么都没说，指了指我们的小“熊猫”，强忍下那句“还能怎么办”。

安德拉奇镇的市场位于镇郊，坐落在一条宽阔的道路上，两边树木成行，旁边矗立着雄伟的索思马斯城堡。这是数世纪以来有钱地主的豪宅，现在却是安德拉奇镇堂而皇之的镇议会所在地。随着时间逝去，政权变化，财富也易主了。

我让艾莉下了车，让她在一排排林立的摊位中进行一周一次的大采购。这里应有尽有，从农产品到羊皮面拖鞋；从现场烹制的鸡鸭、现烤兔肉到锅碗瓢盆、剪刀铁锯；从鸟笼里的金丝雀到黝黑吉卜赛女郎吆喝“小姐，来看看，来看看”的假蛇皮皮带；还有塑料袋装着的冒着热气的骡粪，以及收录了西班牙假日闹市热门歌曲的录音带。海岸地带的经典歌曲，此时正在这熙熙攘攘的市场里大声播放着。

虽然刚刚进入旅游季，市集里已经让人惊讶地忙碌起来了——驱赶鸡鸭的农妇和戴着西班牙宽边遮阳帽的游客摩肩接踵；满脸皱纹的老农夫被穿着足球服、挺着啤酒肚的莽夫用胳膊肘挤到一旁；狡猾的吉卜赛年轻人偷偷扒路人的提包或游客屁兜里鼓鼓的钱包。这种喧嚣热闹的光景会持续到秋天来临，到那时，原本慵懒的安德拉奇镇周三市集日才会再度恢复到“正常”状态。我高兴地把这里的一切都留给艾莉，自己继续开车前往广场。

西班牙广场坐落在局促的城镇中心，四周的小巷围成直角网络，像迷宫一样的单行线交通系统使得陌生游客在这里时常会晕头转向。即使身为移居这里已近四个月的本地人，我还是经常会在安德拉奇镇迷路。不过今天早上还算顺利，我把车停在广场角落附近，然后往努埃沃酒吧走去。

“哎呀，他妈的！你今天好吗，老兄？”霍尔迪坐在室外阳光下的老位子上，对我喊道。

相互寒暄握手后，我坐在他桌旁。老吉列尔莫听到霍尔迪打招呼的声音，已经出现在门口。我向他要了两杯啤酒。

“不，不要，他妈的，不要帮我叫啤酒！”霍尔迪抗议道。

“好吧！”我对吉列尔莫说，“麻烦你，给我一杯啤酒，给霍尔迪一杯白兰地、金酒，或者威士忌，随便什么他要喝的。”

听到霍尔迪继续拒绝时，吉列尔莫丢给我一个“竟有这种事”的眼神。虽然霍尔迪绝对不是什么酒鬼，但是我从没见过他在闲暇时竟然会拒绝喝杯酒提神，所以他接下来说的话令我大吃一惊。

“橘汁，吉列尔莫。对，只要橘汁！”

橘汁？只要橘汁？霍尔迪是怎么了？是不是生病了？我忍不住问。

“没错，住了几天院！”霍尔迪压低声音私下跟我说。霍尔迪说英语的时候很搞笑，口音可说是介于巴基斯坦的卡拉奇和英格兰的考文垂之间，他虽说在讲英语的城市工作了十六年，却一直住在亚裔为主的圈子里。“他妈的，在山顶疗养院住了两个星期，老兄。”

这个消息并不太令人惊讶。霍尔迪是几乎一辈子烟不离手的老烟枪，西班牙的香烟又极为浓烈，而现在，他已经年逾六十……

“住进疗养院？”我很关切地问道，“肺的问题，对不对？”

矮小的他摇摇头，从上衣口袋里又掏出一根香烟来点上，没有一丝迹象显示他那消瘦的胸腔会发出揭示谜底的咳嗽。不过，从他迟迟不回答我的问题来看，他正搜肠刮肚地寻找正确的字眼。霍尔迪非常爱说英语，虽然有时他的词汇略显不足，但他却很不情愿被别人看出来。话说回来，他可从来没卡过壳。如果不确定怎么说，他会想到什么说什么。以目前的情况来看，他想到的词是“牛肚”。

“牛肚？”我听了完全不明白，继续追问道，“他们把你送进医院是因为你的……牛肚？”

“他妈的，你们苏格兰话是怎么说的？”在语言上，最好的自卫方式显然就是攻击，至少霍尔迪采取的是这种做法。他激动地指着横膈膜的位置，“长在这里的东西跟洋葱的味道很合，就像我说的牛肚。”

于是我恍然大悟。洋葱的联想是关键所在。“噢，”我拼命想忍住笑容，更不能大笑了，“你，嗯，你的意思是说‘肝’，对不对？”

“对，我早说了嘛，就是……肝！他妈的，霍尔迪的肝竟然成了废物了！”他气愤地蹙着眉头，跷着二郎腿，深深吸了口烟，然后吐出一团烟雾，嘴里还喃喃地继续说道，“真他妈的荒谬！”

我没花太大的力气打探，霍尔迪就吐露了他最近健康状况不佳的全部内情。果然不出所料，我一开始就怀疑他的肝脏问题是饮酒造成的，事实证明我的猜测完全正确。两个多礼拜前，他回忆着，他从农庄回家的路上顺便走进了努埃沃酒吧，“只是想他妈的喝上两杯”，跟平常晚上回家一样。就在这时，残酷的命运推门走了进来（这在酒吧并不是非比寻常的事)。这一回，命运打扮成韦恩·墨菲的样子，一个酒量奇大的澳大利亚汉子，刚刚在中东油田做了一阵子粗活，目前和一个见过世面的瑞典年轻女子栖居在安德拉奇镇外一间老牧羊人的小屋里。韦恩刚在波斯湾熬过三个月的禁酒期，按照他自己的说法，口袋里塞满了石油钱，喉咙里渴得能在悉尼港引发一场森林大火。问题是，人总要找个搭档才能喝得尽兴，聊得痛快。这就是韦恩面临的问题，他不会说当地话，那天晚上整个努埃沃酒吧竟没有一个人能跟他交谈……直到霍尔迪出现。

是这样的，过去也有过几次类似的情况，霍尔迪和韦恩一起在安德拉奇的酒吧喝过几次啤酒，相谈甚欢，所以对霍尔迪而言，加入这个偶尔一次的小聚会似乎也很自然。一起喝几杯生力啤酒，用英语天南海北地闲聊一番，当然，还可以趁机和韦恩这个真正的高手痛快地说说粗话。无伤大雅嘛，霍尔迪心想。

但是，随着夜色渐浓，霍尔迪本来只想喝几小杯的啤酒，逐渐变成了几升的量，直到吉列尔莫终于打烊之后，两个爱酒之徒突发奇想，买了半打每瓶一升装的芬达多白兰地。

霍尔迪三天之后才醒过来。当时他在自己家。他之所以能意识到这一点，是因为他还认得出自己是躺在自家厨房地板上。但是他躺在那里究竟多久了，甚至离开努埃沃酒吧之后所发生的一切，在他脑海中都一片空白。他唯一知道的是他当时仿佛被人重重地打了脑袋似的头痛欲裂，嘴里则一股贝都因人三角裤的味道（他觉得他这句话一定是跟韦恩学来的），而他的肋骨右下方则感到可怕的灼烧般的痛楚。韦恩不见了，白兰地也不见了，只留下六个空酒瓶东倒西歪地躺在地板上，诉说着事情的始末。

“该死的医生到了我家，”霍尔迪喝了口橘汁，我想他大概又感觉到一阵反胃，他继续嘟囔着，“要送我去疗养院。没错，立刻送去——救护车——一闪一闪的红灯——一阵紧急的笛声——十万火急！”他沉默地盯着橘汁，沉思了几秒，接着仿佛自言自语地说：“他妈的，可怜的霍尔迪差点儿就去见阎王爷了！”

“所以你要远离酒精了，霍尔迪，对不对？”我同情地询问，立刻觉得自己的话足以竞争含蓄陈述的世纪大奖。

霍尔迪一言不发，只是坐在那里陷入沉思。

“你的酒伴韦恩怎么样？”我等了一会儿问道。

霍尔迪眼神向上看去，一丝光芒在他眼中闪过，嘴角浮现出一抹无比尊敬的微笑：“噢，他一点事都没有，我昨天还在广场那头的巴利阿里酒吧见过他，他妈的。没错，真是酒胆包天，一点不假。”霍尔迪咯咯笑着，现在连他的口音都带点儿墨菲的澳大利亚腔调了，“真的，真他妈的是铁汉子一条！”他笑得连肩膀都一颤一颤的。

“所以，嗯，你就……滴酒不沾了，霍尔迪？”

他的脸色又黯淡下来。“不沾了，烈酒、啤酒，不管什么，都不碰了。该死的医生直截了当地告诉我，一滴酒都不能再碰了，霍尔迪，否则必死无疑，他向我保证。”霍尔迪望着我，泪水在眼眶里打转，下嘴唇颤抖着。“就像我跟你提过的……霍尔迪的‘牛肚’……完蛋了！”他摇摇头，毫不掩饰自己的哀伤，然后嘶哑而多愁善感地下了结语：“真他妈的荒谬！”

我搜肠刮肚地找词，不知道该说些什么好，却一眼看见了艾莉。她正步履艰难地穿过广场，手里又多了不少沉甸甸的塑料袋。刚才我的确有点迷茫，像霍尔迪这种借酒享受社交生活的人，不知究竟能以果汁代替撑多久。现在看到艾莉，我觉得迷茫的是，一个女人怎么能在已经花半个早上从超级市场买下整整一手推车的东西后，接着又花一个小时在市集上重复一模一样的活动。

“啊，嗨，女士，请坐！”艾莉走近我们的座位时，霍尔迪说。他站起身，略微弯了下原本就有点僵硬的腰，朝艾莉指着旁边的一把椅子，从容绅士地请她“把屁股落座在那里”。

艾莉依言坐下，对霍尔迪微微一笑，端庄地表达了谢意。她和霍尔迪见过几次面，所以很了解霍尔迪在女性出现时所说的那些温言软语，纯粹是为了表现尊重淑女的骑士风度。而且，可喜的是，我从来没听霍尔迪在艾莉面前说过任何比他招牌式的“他妈的”更强烈的字眼，最多不过像今天所说的“屁股”而已。霍尔迪的确是个温文尔雅的绅士。

“女士，你买了些什么？”一旦满意地看见艾莉舒服地落座，霍尔迪就开口问道。

“嗯，没什么，一些日用品罢了。不过，你看，我从鱼贩那里买了些牡蛎，自从我祝他新年快乐之后，这还是头一次——”

“牡蛎？”霍尔迪喊道，喜悦的笑容让他消瘦的脸庞皱缩成一团，“他妈的，霍尔迪也买了！”他弯下腰从购物袋里掏出一个装满了乌亮牡蛎的网兜，得意地把它放在桌上，“市长级的牡蛎，一等货色，绝对好东西！”

“它们看起来又漂亮又新鲜，真是没话说。可是，我的意思是，我从来没在这里买过。再说，牡蛎这东西……我有点担心……”

“你知道怎么做牡蛎吗，女士？”

“嗯，知道，我通常就是……”

霍尔迪伸出食指在艾莉眼前晃动：“抱歉打断你，女士，可是霍尔迪一直都知道牡蛎最好的烹饪方法。跟霍尔迪老祖母学来的，她曾经是个渔船的水手，知道吗？”

我们正听得一头雾水，霍尔迪又开始透露自己的家传牡蛎菜谱，并且坚持要艾莉写下来，“以防她忘记了”。

“霍尔迪的牡蛎”

一公斤新鲜牡蛎，洗净，去腮，放入大锅，开中火。

加入：

一大杯无甜味红酒

一个柠檬，从中间切成两半

一个大洋葱，切细碎

三粒蒜，切片

一只大番茄，切块

酒醋少许

一把香菜，切碎

黑胡椒，现磨

番茄酱，加入使汤汁浓稠的分量

盖上锅盖煮沸，然后转小火。

文火慢煮，经常搅动，五六分钟牡蛎开口后即可上桌，搭配硬皮面包。

当艾莉在信封背面飞快地写下最后几行重要说明时，霍尔迪凑过来低声对我说："这可是绝密配方哦，"他冲我挤挤眼睛，"绝对是最好的菜谱！"

听完这番生动的评价，我简直忍不住马上就要回家烹饪大餐了。事实上，我都能感觉到自己在颤抖了。也许是因为我注意到早晨那位把我拦下来的警察又出现在广场，还偏偏停在了我的车旁边？他再次仔细检查了我的车外观，我前后的车牌号，又朝车里瞥，一个邪恶的微笑开始在那深不可测的墨镜下弥漫。"哦，糟了！"我心想。天哪，那一刻，在那个十字路口，我彻底忘记了我还没履行完冗长的程序好拿到西班牙居留证，有了那个证件至少我就能合法卖橘子了。万一他问我之前车上拉的那些篓子都去哪儿了，我该怎么回答？送给孤儿院了？不，附近可能没有孤儿院。送给修道院了？不，我也不认识哪家修道院啊。别慌！就缩在椅子里，假装自己是个透明人，就这样吧……

霍尔迪很快就注意到了我对警察到来的反应，他毫不在意地挥了挥手。“哎，不用担心，”他嘲笑道，“警察算什么？你只需要担心宪兵，那群该死的家伙！”他爆发出一阵大笑，“不过现在，即使宪兵也不会随便开枪打死那么多人了。”

虽然牛皮吹得大，但当警察朝我们这里踱步走来时，霍尔迪还是飞快地辞别我们，谨慎地选择待在堪比避难圣地的酒吧里了。那警察半道停下来检查了一下霍尔迪一贯违章停在人行道上的小摩托车，然后就直直地朝我们这桌走过来，我的心跳都加速了。

“嗨，嗨，上午好啊，先生！那是你的车，对吧？”他语气诚恳地询问，反倒有些吓人，同时朝我们车的方向点头。

我直视着他，想透过墨镜镜片找到那后面隐藏的一丝丝同情心，但是我却只能看到自己的影子——一张看上去就很心虚的外国人的脸。

“呃，对……是……”我结结巴巴地应着，同时脑海中浮现出帕尔马郊区臭名昭著的贝尔韦尔城堡地牢的黑暗景象。

真是该死，我手里还端着杯啤酒，没有汽车证件，没交车船税，没有工作许可，现在还随时会被要求吹气做酒精测试！

艾莉清了清嗓子，向警察露出了亲切的微笑。“有什么问题吗，先生？”她用流利的西班牙英语问。

警察摘下墨镜，露出一双棕色的大眼睛，像考拉眼睛一样吓人。“没问题呀，夫人。”他微笑着。“没问题，没问题。”他继续说道，边用手示意我们放心，好像在抚平桌布一样。事实上，他早些时候在我们的车上看到那些巴伦西亚柑橘，正打算问能不能买一些，结果那位牵着驴子的老农和那个拖拉机男孩儿就开始吵架了……长话短说，他刚才注意到我们车上还剩一些橘子，作为巴伦西亚人，他总想在安德拉奇找到好吃的巴伦西亚柑橘，但从来没买到过像我们的橘子那么好的，所以……

“都是你的！”我脱口而出，抓住这位吃惊的警察的胳膊就带他来到我的车后备箱。“全给你，请……别客气！”我说着抬出一篓橘子就塞给了他。

“不，谢谢，但是我不需要……”

“别拒绝，必须收下！”

“但是，但是，我必须付钱。多少钱？”

“不，不，我不卖！哦，不，我们只是……我们家有很多，我们只是把它们送给……朋友们。是的！而且，我们非常喜欢你……朋友。”

“可是篓子……”

“不用担心篓子的事。有空时拿给酒吧的吉列尔莫就行。不过不着急，一点都不着急哦。你路过时带来就行了。”

警察的脸上露出高兴的笑容。“先生，你可真大方，”他笑着朝我靠近并小声叮嘱，“这下，你要是吃了违章停车罚单，就知道该去哪儿……处理违章了，对吧？”

巴伦西亚柑橘忽然就成了我最爱的橘子品种。

“明白我的意思了吧？”乔克肯定会说，“人际关系和圆滑的处世态度，这才是在这个岛上的生存之道。”

他的这两条准则无疑帮我度过了美好的一天，尽管有一点点偶然因素。傍晚，当我们在前院安顿下来，开始享用我们今年第一次露天家庭聚餐时，甚至连佛朗哥将军真假音来回切换的打鸣声听起来也有些动听。也许是因为葡萄酒，也许是因为在温暖的微风中从果园飘出的橘树香气，或者就像老玛丽亚的小公鸡那样，只是因为春天来了。不管是什么原因，我都对自己的生活感到满意，尽管我们都没提起，但我知道我们都意识到，能住在这样一个迷人的地方真是非常幸运。

至于赫罗尼莫的芦笋，按照他所建议的方式烹饪后，的确比我这辈子品尝过的任何芦笋都更鲜嫩多汁，口感更细腻……可能唯一能超越它的就是那些生长在未开垦的田野边上，偶尔被我们幸运发现的神奇的马略卡嫩芽。

霍尔迪烹饪牡蛎的菜谱也得到了一致赞扬。我真诚推荐每个人都试试这马略卡简约烹饪之道的代表菜肴。我保证，霍尔迪的水手老祖母绝对会令所有人赞不绝口。

“对了，爸爸，”吃得心满意足的森迪一边拿一块面包蘸去盘子里最后一点美味酱汁一边说，“今天晚上又打算打更多呼噜来给我们解闷吗？”

我给自己又倒了一杯酒，然后舒服地靠在椅背里看着夕阳一点点坠入远山的阴影里。“是的，”我满意地坏笑着回答，“我想很有可能。”

艾莉和查理一起发出了抱怨，同时，房子侧面一棵无花果树深处，一群蟋蟀开始了它们的夜间合唱。春天的另一个信号又悄然降临了。

2

发人深省的树林

“有只五英尺[1]长的青山雀正倒挂在一棵橘树上。”

“有只什么？”

艾莉并没有喝酒，所以我知道她应该是清醒的，但是听说马略卡有野生罂粟花，我怀疑她是不是不经意嗅过一朵。

“是真的，”她坚持道，“在果园的另一边，有个像巨大青山雀似的东西挂在树上晃来晃去。不信你自己来看。”

我走到窗边站在她身旁，顺着她的视线向坡地上的一排排果树望去。她说得没错。那不是她的幻觉。确实有个东西，一个颜色鲜明的生物，远远望去的确很像超大的山雀正在一株橘树里面一边动，一边大把撕扯树枝，甚至不时还有些粗

1　1 英尺约合 0.304 8 米。

枝掉落到地上。

“知道我在说什么了吧？”

“嗯，知道了。”我心下犹疑，“可如果那是一只山雀，它一定跟啄木鸟交配后又注射了黑猩猩的激素。看！它快把那棵树扯碎了！我最好过去看看那到底是什么鬼玩意儿。”

在这种情况下，穿过果园时只见树不见林的状况让我有点担忧。当我疾步越过一片片林地时，眼前能看到的只是一排排树干和几乎低垂到膝盖的橘树树叶。无论我怎么努力，仍无法看到那只巨无霸青山雀，但是越靠近，那棵树传来的野蛮噪声就越大。现在，茂盛果树遭受摧残的刺耳嘎吱声仿佛充满了整个山谷；这个一向宁静的地中海世外桃源，此刻——至少在气氛上——已经变得更像加拿大落基山脉嘈杂的伐木区了。

当我终于走到最远的林地时，眼前的景象简直让我呼吸骤停。瞧，就是它，这棵我一直认为是整个农场上最健康的橘树，总是硕大而果实累累，现在却只剩骨架，上面的树叶几乎都不见了！那些粗干细枝曾经多么繁茂美丽，如今却散落满地。

简直是大屠杀。

“怎么会发生这种事？”我喊道。

“啊，早安，先生。”青山雀轻声回答……或者应该说，回答的是一个像青山雀的东西，即使在这么近的距离看起来还是有点像。

不过这个悬挂在树木残骸上的东西并不是只鸟。他是个人——一个五十多岁的小个子男人，肌肉强健，头上戴着蓝白两色的棒球帽，身穿黄色 T 恤衫和蓝色牛仔裤，他的“尾巴”则是挂在腰带上的一组铁锯、砍刀和修枝剪。

“我是佩佩·苏沃，”他微笑着，从橘树残骸上跳下来，对我伸出手，“我来帮你修剪果树。”

佩佩继续解释说，在这个山谷他通常会先去修剪老玛丽亚的果树，但是既然“苏格兰先生”的果园荒废已久，他想今年最好改从这里开始。他的口气温和而自信，好像在告诉我这里百废待兴。“老兄，有太多太多工作了。”

我就知道！当初“市长府邸”是从一对上进好强的马略卡夫妇弗朗西斯卡和托马斯·费雷尔手上买来的，这是他们从弗朗西斯卡双亲那儿继承的不动产。刚买下果园时，好心的邻居就告诉过我们，这个果园并不像我们这种外行果农从表面所见的那么健康。虽然弗朗西斯卡的父亲老帕科很骄傲地表示，在他经营农场时，农场保养得非常好。但是年事渐高及老伴逝世的伤恸，逐渐耗竭了他继续经营的活力和意志。结果就是，最近几年来，果园越来越缺乏管理。虽然在不熟悉果园的人们看来，这些果树似乎不错，但事实上已有很多问题，而几乎所有的果树都缺乏必要的修剪。所以，我们必须面对一个事实：由于天真无知，我们买了一个没啥价值的橘园。它虽然有田园之美，却荒废已久。这完全是蒙着眼做生意。这么一来，假使我们决心要让这个农场恢复昔日在山谷类似小农场中的声望，我们要面临的就不仅是对决心和毅力的考验，我想还有对我们经济能力的挑战。

还记得老豪梅温和地向我揭露这个坏消息时，我是多么垂头丧气。那是十二月阳光灿烂的一天，我们正穿过茂密的树林，漫步巡视着果园，马略卡宁静温煦的冬日蓦然被我心里升起的惊慌破坏了。我是不是犯了大错，把全家带到这块陌生的土地，在我一无所知的农场上投入大把资金，却在第一个难关就落马阵亡，成为自己轻举妄动的牺牲品？也许我根本就是被狡黠的费雷尔一家人欺骗的傻子？我本来就怕发生这种事情，可是艾莉一直乐观地鼓励我。

现在已经没有退路了。我们已经破釜沉舟，只能咬紧牙关，卷起袖子，继续努力。毕竟，多年前在苏格兰，我们也遇到过类似的考验，最后全凭决心和努力克服困难。为什么在这里不能呢？当然，话说回来，不同的是语言和气候。不错，如果我们曾低估过自己对所做之事一无所知的事实，大概就是指这件事了。

好在有马略卡邻居的好心和善解人意，他们终于说服我相信自己并没有犯下不可弥补的大错。

“佩德罗，一切问题到春天就都解决了！”老豪梅在那个难忘的十二月天告诉我。

“这里是马略卡，凡事慢慢来，最后你会发现，船到桥头自然直！”

这种劝告对慢慢来的马略卡人也许管用，但对我这种惊弓之鸟似的神经质北方佬而言，却是说得容易做起来难。

“你需要的只是找个果树专家来帮忙。”豪梅同情地把手放在我肩上对我说着，并带我穿过他清新的柠檬树林，去品尝他家自制的红葡萄酒，培养一下“慢慢来”的闲情逸致，“我有个好朋友叫佩佩·苏沃，是安德拉奇镇一带所有果树专家中的专家。你放心，佩德罗，这件事包在我身上！”

在日正当中的时候喝了豪梅浓烈、健康的葡萄酒，我果然昏昏欲睡。可是，整个冬天，我心底始终怀疑，自己是不是思虑不周，把前途押在一件大而无当的投资上了。直到后来，我才慢慢对“市长府邸”这个农庄、这个山谷和这里的人，有了家的归属感。

现在，站在我认为最健康的果树前面，亲眼见证佩佩动了他认为非动不可的大手术，过去的隐忧再现，几乎到了惊慌的程度。如果所有的橘树和柠檬树最后都被砍成这样，今年冬天怎么会有收成呢？即使最勤劳的蜜蜂，也不可能在光秃秃不能开花的树上穿针引线啊！更糟的是，夏、秋收成的果树也一样要考虑，包括杏树、柿子树、无花果树、石榴树、枇杷树、李子树、樱桃树、梨树，更别提还有扁桃树和角豆树。如果果树收成遥遥无期，我们靠什么维持生计呢？

真该死，这些被大肆修整的树可能要等很多年才能重新生机勃勃啊！

我觉得一阵惊悚，额头上开始冒出冷汗。这时，几片田地外老玛丽亚的农庄上，佛朗哥将军的一个妻妾似乎刚下了个蛋，下蛋后报告的咯咯声此刻听来简直像是声声嘲笑。也许它是对的。无论我自认变得多本土化，本质上我还是个外地人，一个流浪的外来者，就像所有外来者一样。不少马略卡人认为，这些人早在飞机落地时就把大脑留在机场了。不错，我们必须面对事实。我所下的这个蛋[1]之大，老玛丽亚那只爱嘲笑人的母鸡就算在它最狂野的梦里也无法孵出来。真是让人痛心！

佩佩·苏沃了解似的笑了一声，用温和的眼神注视着我。"你认为我在谋杀你的树，是不是，彼得先生？"他轻声说。

多言无用，我不置可否地耸耸肩。我的身体语言无疑在悲哀地暗示："该来的总会来的。"整个人仿佛陷入了悲惨命运中。

佩佩脸上满是笑容："你认为这棵橘子树是你最好的一棵，是不是？"

我悲伤地点点头。

"它给了你很多果子，是吗？"

---

1 "下蛋"（lay an egg）也有"完全失败"之意。

“是的，很多。”

佩佩指指那株枝残叶落的可怜东西：“可是现在你怀疑它怎么长得出果子，也许再也长不出来了，是吗？”

我默默长叹一声，咧咧嘴无奈地苦笑。

“呃，这正是果树玩的把戏。”佩佩一面发表高论，一面要我看纠缠在一起的粗树枝和树干分出去的那些茂密的带叶细枝，“这些树枝各个自顾自，愈长愈多，愈长愈密，交缠在一起。其实树就像小孩子，先生，如果疏于管教，就会变得很野。虽然某些角度看来很美丽，但是无法无天，生产力差，通常会变成自己最大的敌人。”他弯下身，捡起一根细直的嫩枝，它几乎和他的身高一样长。“就像你会为孩子做的，你会保护他远离坏朋友，就像远离我手上的这个坏蛋一样，因为它们迟早会把树上一切好东西都偷走。”一旦健康出了问题，通常这是难以避免的，无论农夫多细心都一样。所以这棵树必须得到保护，直到病情好转为止。“你看，就像个小孩，彼得先生，只是有时候更麻烦些。”他把一根手指放在嘴唇上，“因为这些树不会说话。”然后他指着自己的眼睛，“所以农夫必须有很好的观察力，不是吗？”

老天，这让我想起在苏格兰时，饲养一周大的小牛犊是件多么令人头痛的事！至少，一棵树不会拉肚子拉在你的牛仔裤上，或在半夜叫着要你用吊桶喂它喝温过的牛奶。所以这已经不错了。

“好吧，我接受你的理论，佩佩。”我承认，“其实这只是普通常识，可是，说真的，我不知道一棵树被修剪得这么严重，对它还能有什么好处。对它的农夫也是，对他的银行经理也一样。”

佩佩明白我的意思，咯咯一笑缓和了气氛：“啊哈，可是这就像对任性的小孩，如果你把这棵胡乱生长的树救回来，它很快就会回报你。只要整个夏天不断帮它浇水施肥，其他一切顺其自然，这样到了十一月，这棵树就会让你有很好的收成。也许数量没今年这么多，但是更大更多汁，而且，”他顿一下，食指和拇指搓了搓，“最重要的是，会更重。”

以我门外汉的眼光看来，佩佩的预言要实现，可能是个天大的奇迹。可是既然我们仅存的一切现在都在他手上，我能做的只有信任他，然后以乐观的态度拭目以待。

他继续费力地解释，为什么他必须砍掉树干附近几根相当粗的枝干，因为必须让树心露在外面，这样光线才能照射进来，让果实更健康地生长。“这种乱长的树枝几年前就该除掉了！”他低声说，眼睛向后瞄了一下，好像这块地的前任地主兼著名树木专家老帕科就站在身后偷听似的。“不过，这树已经在报答您的施救啦，彼得先生！”他咧嘴笑道，我想他可能是想缓和气氛吧，因为我的愁眉不展一定一览无余。

“真的？”

“真的！看看这个，老兄！”他弯腰捡起一根树上砍下的粗枝，“把上面的枝叶修剪掉，剩下的留半米长，你就有了什么？”

“木材？”我试探地回答，担心这会不会是脑筋急转弯。

“对了！木材！太好了！”这个小个子家伙大笑着，在我背上拍了一掌以示鼓励，好像我赢了《智商一百》电视冠军似的。啊，不错，他兴奋地告诉我说，这个冬天我就可以坐在火炉边享受橘子的香气——当然啦，还有柠檬、樱桃等各种水果的香气！而且只要他还在帮我们打理果园，我就好几年都不用再买木材了！

不错，就算饿死，我们也会死得很舒适。我自我安慰地想着，眼前浮现出在佩佩大肆“治疗”过后，我们的果园变成被核武器轰炸之后的战场的样子。

“现在，”他说着开始束紧他的工作腰带，摆出实事求是的姿态，“彼得先生，我得继续工作了。不过你看，”他挥手画出大弧形，“那些树上还有果子的橘树，我会留到最后，让你们采摘后我再修剪。不错，有很多工作等着做。很多很多工作。”

这用不着他再说一遍。接下来十天，艾莉、森迪和我都在疯狂地工作，连查理也在周末和放学后加入，才赶得上佩佩又锯又剪的进度。有时候他儿子米格尔也会加入父亲的行列，而他显然遗传了父亲医树的天赋。他们好像完全不需要对树先做任何诊断，马上就大刀阔斧地动起手来，让树改头换面。他们的专业速度简直无人匹敌。好在我们够幸运，他们因为还有其他工作要做，只有早上才到“市长府邸”来，这样我们就有整个下午和晚上来赶进度——采摘树上剩余的橘子，拖出可当木材的枝干，修整之后，把用不着的枝叶堆在一起，等以后一起烧掉。

现在还是春天，当白天温度无情地攀升到25℃左右时，我们开始对接下来一两个月的工作状况有了不祥的预感。虽然现在的气温就马略卡的夏季标准而言只算中等，却已经让我们热得喘不过气来了，苏格兰阳光最强烈的晒谷季节也不过如此。而且，在苏格兰，我们可以用机器做大部分工作，在这里，由于果园的地界限制，几乎所有的工作都得靠人工。为了赶在动作利落的佩佩父子的剪刀前面，我们甚至不得不放弃了必需的午睡。

“想想你减轻了多少磅！”一个特别炎热的周末下午，我为了给艾莉打气而开她玩笑。这时我们正在把干燥的树枝抛进火里，潮湿的南风一阵阵吹来助阵，“比蒸桑拿有用多了！”

艾莉没说话，她用手背用力擦了一下额头上沾着的烟灰和汗污，这足以表达她的想法。

“我想要蒸桑拿，”森迪一面嘀咕，一面举起沉重的杏树枝，丢进小巴维里拖拉机后面的车斗，“还要一个好用的拖拉机，有四个轮子的，前面有液压式装货机，带座位的车厢，还要有冷气！”

“还想要座位和冷气！”查理挖苦道，露出辛苦无人知的表情，忙着摆弄火焰顺风方向的一些轻树枝。

我决定把充满男子气概、积极振作的话留给自己。

即使像以往一般慢慢来，我们也已经颇有进展了。这些顽固劳累的工作没有逃过我们邻居的眼睛。

“在我们那个年代，我们连这些嫩枝都会留下来。”老玛丽亚宣称。她是豪梅的老岳母，也是隔壁农庄的主人，豪梅从帕尔马一家一流酒店的侍者工作退休下来后，就在帮她干活。老玛丽亚穿一身惯常的黑衣，戴着她那一代马略卡村妇最喜欢的宽边旧草帽，似乎不经意地蹒跚走到我们两家农场的隔墙边。她站在那里打量我们，像往常一样，手里拿着鹤嘴锄，伛偻的身躯靠着一株枝叶茂密、树干光滑的柠檬树。

我们早就知道老玛丽亚最喜欢的聊天话题，或者应该说是演讲主题，就是她宝贝的“那个年代”和一切与之相关的事物。

“你好，玛丽亚！”我们喘着粗气齐声和她打了个招呼，在这个节骨眼上没人有兴趣听她发表高论。

“而且你们该等火熄了之后，把柴灰都留起来，”她继续给予忠告，“装在布袋或箱子里，放在干燥的地方。”

“真的吗？要用的时候比较方便，是不是，玛丽亚？”我喘着气，躲开顺着热风方向卷过来的贪婪火舌。

“在我们那个年代，我们会把树枝都留起来，即使是最小的那些，冬天的时候可以在屋里生火。”老玛丽亚旧话重提，又落入她夹杂不清的谈话习惯，常常前言不搭后语，东一句西一句。跟老玛丽亚讲话常像在玩口头蛙跳游戏，只不过是倒着跳。

我隔着刺眼的浓烟向她眨巴眼睛：“好主意！”我回答她，装出很热情的样子，“也许明年我们会这么做，可是，咳，你看，今年我们实在太忙了……”

“而且等天气变冷了，那台吵死人的拖拉机能给你什么在屋里烧？”她打断我的话，草帽下眉头紧皱，用锄头把指着那部小小的机器。

我深吸一口气，准备迎接她最喜欢的拖拉机对驴子的话题。“哎，”我叹了口气，“我想我们可以烧些汽油。不过在室内，这实在不是什么好燃料……”

老玛丽亚用力把锄头往墙上一摔，猛然叫着打断我的话。

“驴粪！”她大声说。

艾莉和森迪默默偷笑着继续工作，查理则捧腹大笑。我思索着该如何回答，既不想冒犯，也不想轻易就上了这个调皮妇人的钩。

“嗯，对不起，玛丽亚。我不太明白你在说什么……”

“她说驴子的粪，爸！”查理瞪大眼睛脱口而出，希望得到认可的笑容像一片朝上翘的西瓜。

“很高兴你的西班牙语进步这么多，查理，”我嘀咕着，

“可是我自己会搞清楚，多谢你的好心。现在做好你自己的工作，让我来处理这件事，行吗？”

“驴粪！”老玛丽亚又说了一遍，这次更大声了。

我决定冒险打个迷糊仗。“所以，你怎么建议，玛丽亚？是不是把柴灰和驴……”

“谁说什么柴灰了！”她高声吼道，“我在说冬天可以在炉火里烧的东西。天哪！从来不用心听话，你们这些年轻人。这就是你们的问题！”

被称为“年轻人”应该是一种奉承，不过凡是八十岁以下的，在老玛丽亚眼中大概都是年轻人。我又叉起一堆带叶树枝丢进火里，这个动作又刺激老玛丽亚冒出一串刺耳的马略卡方言，想必是些损我的话，我虽然听不懂，但想也想得到。我想她早就认定我是个标准的“外国佬”了。

“你们在苏格兰就没有手工木柴吗？”她终于用标准西班牙语喊出来。对她这种土生土长的马略卡人而言，这是第二语言，一种说话之前有时需要想一想的“外国话”，所以相对说得也比较慢。当然，对我们这种说西班牙语结结巴巴的人而言，这正合适。

“手工木柴？”我抓抓头回答道，“没有，我想没有。嗯，对了，你这么一说，我想起来了，好像真的有人发明过一种小型机器，可以把旧报纸做成燃料块。不过没有流行起来。我猜是因为太麻烦了，不值得。”

“只有钱，没脑子！”这是老玛丽亚的评语。说得也没错，虽然她对“报纸”木材一无所知，可是原则只有一个：物尽其用。不浪费任何东西。这是在马略卡农场生活的金科玉律。“记住我的话！”她严正地补了一句，“你很快就会了解的，小伙子！”

虽然我从来都不怀疑老玛丽亚说的话，她的话总是很有智慧，可是要在眼前的情况下听她教诲，可得付出少清理好几捆树枝的代价，害佩佩闲晃好一阵子，看着我们手忙脚乱地分类捆扎，用拖车把树枝来来回回装运无数趟。很明显，我们爱作弄人的老邻居对这情形其实一清二楚，她只不过想借题发挥，找机会“聊聊天”。当然是只有听她说的份啦！

“谢了！嗯，鸡蛋，玛丽亚！”艾莉用与众不同的西班牙英语说，想换个话题，“孩子们，对，就这两个男孩，那天早晨当早餐吃了，真的很好吃，鸡蛋……谢了！”

老玛丽亚搞不搞得懂她到底在讲什么，这是不可能弄清楚的，反正她一直把艾莉当作来自浪漫北国冰天雪地的白雪公主，所以无论艾莉胡言乱语些什么，她一律当作赞美之词。

“不，不，苏格兰太太，”她甜蜜地微笑着，手指在鼻子前面轻轻摇一摇，“谢谢你！”

但是这可喜的插曲只是短暂的中场休息而已。我怀疑老玛丽亚不会那么容易转移今天的话题。果然，她的注意力一从艾莉那里转回我身上，眉头马上又皱起来了。

“驴粪！”

谁都猜得到，完全无法专心工作的老婆和儿子一定又在窃笑了。

我终于叹了口气表示投降，把马略卡长柄叉的三根木尖插在地上，手拄着叉子顶端，交叉着腿，摆出休息的姿势，把全副注意力放在眼前这位老妇人身上——不如一劳永逸地把事情解决掉！

“好啦，玛丽亚！”我吁了一口气，同时向老玛丽亚缓缓点头，表示“你赢啦”。“你非跟我说个明白不可。到底小树枝、干树叶、驴粪和冬天的燃料这四个东西有什么关系？”我等着老玛丽亚早已成竹在胸的答复。她果然露出胜利者的笑容。

任何有脑筋的人都知道，她说，令我怀疑自己够不够格做其中一员——在月亏的五月天，你得把踩碎的干树叶和小树枝捆成一束，掺入稻草、驴粪和一点水（她用手做出拍打面团做饼干的动作），然后把搓好的东西放在太阳下晒一阵子，就这样，“哇！”手工木材做好啦，“就像魔术师一样，对不对？”

“不错，的确，现在我了解为什么豪梅把你的驴子换成拖拉机时，你会那么失望了！”我使出外交手腕附和她，想表现出很受触动的样子。

“是啊，而且，”她又兴奋地加了一句，“你们现代人也可以学我们那个年代的老法子做。”

“嗯，也许吧，玛丽亚，不过，这些日子要这么做可能太花时间了，得到处去找足够的驴粪……”

“烤肉！”

“你是说烤肉？对不起，我又弄不懂你的意思了。”

“最近流行这个，烤肉，不是吗？”

“不错，可是我看不出……”

“蚊子！”

“烤肉和蚊子……没错，这两样东西凑在一起的确很糟糕。”我禁不住有点冒火，“可是这跟驴粪木材有什么关系？我是说……”

“蚊子，狡诈的东西，”老玛丽亚用她长着瘤节的食指拍拍太阳穴，以加强语气，“它绝对不会飞近有驴粪气味的地方！”

老妇人咧嘴笑开了，上下唇之间露出标志着风霜高龄的五颗牙齿，上面两颗，下面三颗。我记得第一次看见老玛丽亚露齿大笑时，觉得这好像是一种对人视觉上的搔痒，现在这种感觉又来了，无可抵抗又充满传染性。

我实在忍不住笑起来。接下来，当老玛丽亚的露齿微笑变成咯咯大笑时，我也开始大笑起来。不用说，这个欢笑的气氛马上也传染了艾莉和两个男孩，大家笑成一片，只是大概只有带头的老玛丽亚才知道这么欢乐到底是怎么回事！

至于用驴粪制造驱蚊木材，或许只是她开的玩笑？我很怀疑。不过，话说回来，我也曾听说澳大利亚牛仔在丛林里时，会在营地里焚烧干燥的牛粪驱走苍蝇，所以她可能也不是在开玩笑。不管怎样，反正我不打算提个篮子到乡间小路上乱逛，铲起一坨坨驴粪去测试老玛丽亚这诡异的建议。因为我慢慢发现，这八成正是她巴不得我去做的事，这样她又可以捉弄这个她最喜欢的外国佬了。总之，关于大力“拥驴”的诉求，我猜她已经讲够了，不过她转身离去前，还是忍不住怒目指着我们的小拖拉机，做了最后的结语。

“吃汽油？”她咕噜着，“呸！”

“至少我们省得听她唠叨柴灰的事了。”我低声对艾莉说。

“是啊，”森迪同意地说，“也许她回忆里面关于小树枝的这一段终于跳过去了。”希望如此。

“喂！”老玛丽亚回头喊道，“别忘了我告诉你的柴灰的事。把它撒在卷心菜菜园四周，这样鼻涕虫就不敢去吃了！”她顿一下，马上又照老规矩致上临别赠言，举着她的锄头像刽子手举着斧头。“可是想要有最好的柴灰，一定要等月亮渐缺的十一月天，再烧你的树枝！”

有天早晨，我在佩佩为我们最后一株橘树做收尾的修枝工作时对他提起老玛丽亚仍坚持特定月相的古老想法。

“我只记得早在我祖父的时候，人们还会依照月圆月缺那一套来做事。”我说，“可是我并不相信现在英国还会有多少农夫遵循这种古老信仰。说实话，年轻一代现在只懂得化学杀虫剂公司推销的那些杀虫技巧了。”

佩佩对我会心一笑。现在他也用杀虫剂了，他承认，但只在绝对必要的时候才用。当然，很多年纪大一点的果农完全拒绝采用这种“有毒的”现代药剂，不过若能有效而且适度使用的话，他看不出这会有多大伤害。“实际上，有些杀虫剂的效果神奇得不得了，”他坚持道，“在过去可能就要死掉的树木，现在却能被救活。”他指着他正在修剪的枝叶上悬吊着的一个黑色陈腐物质。“那是虫带来的霉菌，会让树染上疾病，”他解释道，“这些病害非用化学药剂控制不可。你看那里！”他指着一株被他砍得像被雷劈过的杏树，“那棵树以前修剪的时候，就有病毒侵入了树干。”佩佩又放低声调，向身后瞄了一眼，“老帕科几年前就该注意了！”他轻声说。

“那棵树活得了吗？”我焦急地问道，注意到好几株杏树和李树都处在这种“平头”的状态。

佩佩耸耸肩。“很难说。等着瞧吧。必须非常谨慎地使用杀虫剂，再加上老天保佑，大概才有可能。”

所以啊，我暗忖，这年头即使在信仰虔诚的国家如西班牙，上帝也得仰赖拜耳或帝国化工撑腰，才能施展农业神迹了。

“要我祷告当然没问题，佩佩，”我说，“可是什么时候该给树喷杀虫剂，从哪儿着手，我可是一点儿谱都没有。我的意思是，我连什么病都诊断不出来，更别提要怎么治疗了！”我的心又开始往下沉了。

佩佩轻声笑起来，拍拍我的肩膀要我安心，然后拿起锯子，继续走向他的下一个病人。“你很快就会学会了，彼得先生。”

“可是在学的过程中，我可能已经把所有的树都杀光了。”我乖乖承认。

佩佩又愉快地咯咯笑起来。“慢慢来啦，先生。这头一年里我会好好看顾这里的一切，不要怕。”他停下手上的锯子，望着我说，“可是有一条金科玉律你必须一开始就知道。”

“是吗？”

“是的。”他一只手捂在耳朵旁，“你听到它们的音乐了吗？”

“你是说蜜蜂？”我问，很惊奇那些勤劳的小昆虫竟然还能在我们这些毁掉大半的树上找到足够的花朵。

“是的，蜜蜂！”一个充满感情的笑容使佩佩的脸亮了起来，“在马略卡，我们称它们果树的小音乐家。”

先是老玛丽亚称它们为丘比特，现在佩佩又形容它们是音乐家。这些看起来非常务实、辛勤工作的乡下人对这种低等动物几近温柔的感情，令我既惊讶又感动。

“这条金科玉律是？”我追问道。

“这条金科玉律是，如果你要给树喷杀虫剂，一定要等到日落——等到蜜蜂做完白天的工作回家之后。否则的话，先生，你就冒了可能杀死果农亲密好友的风险。”

的确是简单而又深刻的忠告，之前我连想都没想过。

“那么月亮的盈亏又如何？”我半开玩笑地询问。

佩佩的回答却相当严肃。“你的祖父没错。你不可能生活在一个岛上却不尊重月亮所带来的影响。”

这可真有趣，因为我祖父也曾经是个岛民，是从苏格兰北部最偏远的奥克尼群岛之一的桑迪岛来的农夫，那一带靠近不列颠海岸，被认为是最艰险的海域。现在回想起来，他曾经告诉我他是如何把耕种、畜牧和钓鱼结合成一种谋生方式的——钓鱼并未达到商业规模，只不过在需要的时候，一个人独自驾着小舟，出海为家人钓一些餐桌上的食物而已。也因此，月亮圆缺对潮汐风浪的影响，对他是极重要的事。

我很专心地倾听佩佩继续告诉我，从小到大，大人一直教导他要注意月亮圆缺的变化，因为一年四季各种农事几乎都在其影响下进行。杏树的接枝要在一月份月渐圆的时候做，果菜园则要在同一月份月渐缺的日子锄地掘土——所有这类规矩都必须遵行无误。还有其他种种，诸如播种、种植和接枝是月满时节的农事，除草、收割和修剪是月缺时节的农事。畜牧工作也一样。说来奇怪，即使像放羊和圈牛这些事情，都必须在月缺时进行。此外，全世界都承认，山羊和绵羊如果在月圆时期交配，成功率最高。

“这只是遵循大自然的规律而已，彼得先生。如果问我的话，我是相信这些事情的。只不过，这年头要找出时间来遵守这些古老的信仰，已经很难了。可是我一点儿都没忘，而且已经全部传授给我儿子了。”

“关于喷杀虫剂呢？有没有什么时候是最好的时机？”

佩佩耸耸肩，仿佛在说这是宿命。“根据普林尼[1]记载，马略卡的很多条传统农事规矩都可以追溯到罗马时代。”他又咯咯笑起来，“可是我觉得，老友，即使我有他那样伟大的智慧，大概都不敢回答你的问题。不，没有所谓的最好时机，要喷药只能等你的小音乐家们都收工回家了再喷。我想，在使用杀虫剂方面，这大概是你能听到的最佳忠告了，不是吗？”

这个小个子把棒球帽往后一推，擦着额上的汗，阳光洒在他平静的脸上。他的面容仁慈满足，没有安达卢西亚西班牙人那种黝黑的皮肤和黑发。不，他拥有岛民的容貌，像很多马略卡本地乡下人一样，五官更接近不列颠北方群岛来的移民，而不像西班牙南部多数肤色微黑的摩尔人后裔。无疑，古代大胆且擅长航海的斯堪的纳维亚人的种子播得很远，而

1 古罗马作家，著有 37 卷《博物志》。

且很成功。

我看着佩佩对最后一株柑橘树修剪了几刀，然后跟着他的目光检视工作成果。就算我们的果园没有像我当初害怕的那样变成核弹爆炸后的废墟，可是也没有那么苍翠悦目了。我再次默默祈祷最后的结果能证实佩佩的技术名不虚传。

“这些树很快就会恢复了。”他说，看着我脸上的表情，要我注意最近的一排树，“你看，有些树我只稍微修剪了一下，它们会比其他树恢复得快。这样就能保证今年无论情况如何，都会有好收成。可是明年就轮到它们动大手术了，明白吗？”

“你怎么说都好，佩佩。我全靠你了。”

虽然只要一有空我就会细心观察佩佩如何工作，可是我对他错综复杂的技术还是毫无头绪。不过我的确注意到有几株特别的树完全没被动到。我指出这些树要他看。

“噢，那些无花果树！”他摇摇头，“唉，看样子，这些老无花果树已经很多很多年没见过锯子了！”他说，在所有果树中，无花果树是最需要严格控制生长的一种，否则它们就会尽情伸展到一意孤行的地步，就像眼前我看到的这个样子。“老天！”他喊道，“如果那些树是小孩，一定是小流氓！”

“老帕科以前没把它们照顾好，是不是？”我低声说。

可是佩佩立刻为“市长府邸”的前庄主辩护。“不，不，”他这次不用再费心降低音调就辩称道，“这是不需要担心的，老帕科一定注意到了这些无花果树，只是近几年他的健康和心情都大不如前了，就是这个缘故，结果一直没管。哎，绝对不能放任无花果树不管。就像俗话说的，它的树枝会偷走你钱包，树根会拖垮你房子！”佩佩凝望着一株树枝纠结缠绕、看来特别凌乱不堪的无花果树。“你看，这些小家伙的手指甲和脚指甲早该大大修剪一番了。”他从齿缝吁了一口气，“不开玩笑！这可得花好大的工夫呢！”

“所以你什么时候动手？”我问，对于可能还有一大堆树在等着他挑出毛病的态势感到沮丧。

“啊，很不幸，这件事不得不等到明年了。”佩佩表示。其他客户已经等不及了，所以我应该庆幸他已经花了很多时间在我们这里。此外，他还有自己的农场要顾，事情多得每年这个时候他和儿子几乎应付不了，因为他们早上的时间都用来为别人修剪果树了。

“噢，是的，我了解，你自己也有农场！”我说，觉得有点内疚，因为自己好像理所当然地占用了他宝贵的时间。“我的意思是，我只知道你是个果树修理大师。对不起，佩佩，我并不晓得……”

“没关系！”佩佩向我保证，在我肩膀上拍了一下，然后稍微有点得意地笑着向我坦白，他对这种生活方式已经习惯了，一方面终生经营着同一个农场，一方面被雇用去照顾其他农场的树木，增加家庭收入。“我的庄园叫埃斯堡，占地好几公顷。不错，先生，”他解释着，暂时抛开了平时谦逊自持的态度，“我拥有安德拉奇镇最大的庄园之一，有成千上万株杏树和数目庞大的羊群！”

当然，我并不想冒犯地去质疑这位温和的小个子告诉我的话，但这件事的确很奇怪。因为我不是看不到，佩佩工作得像个拼命三郎，没有丝毫怠惰。他完全不像悠闲的马略卡人那样，一有机会就放下手边的工作插科打诨。所以如果他已经有听起来这么富饶的庄园，何必还拼命逼自己赚额外的钱呢？因为即使在马略卡，“农场越大，活得越好”这句农事古谚还是真理。佩佩的话违背常理是他的事，我是不会刺探他的。

“如果你愿意来我家坐坐，我会非常荣幸，彼得先生。”他说，一面把工具放进他停在“市长府邸”院子里的西雅特600小型老爷车后座。“埃斯堡是非常古老、非常大的房子，有很多传统的东西可看，农场和动物也是。你会发现那里非常有趣。”

佩佩是不是感觉到了我对他自称是个大有来头的农夫心存怀疑，所以想邀请我去拜访他的庄园，以便证明我错了，我不知道。不过他邀请的态度是那么热诚，所以我毫不犹豫就答应了。

“请带你太太一起来。我太太和我会在家里恭候。”

于是我们约好了日期，佩佩向我保证当日午后会和往常一样在家。我衷心期待这次造访，想亲眼见见佩佩简短形容过的马略卡古老庄园的真面目。当然，对于这个勤奋自在的小人儿平静吹嘘的值钱资产，我也等不及想揭开谜底。谁晓得？也许下次他又会从青山雀摇身变成一只喜鹊！

3

漫步、农夫、与魔鬼共餐

春天的来临预告着西班牙“漫步”季节的开始。什么是“漫步”？字面意义就是街头漫步，但对西班牙人而言，这也是一种展示仪式、一种社交活动，以及时装游行，各种要素都融合在一起了。街头漫步是不分年龄的活动，一到晚上就自动开始，城镇或乡村的居民会陆续出现在市中心广场或人群汇集的林荫小道。人人穿着最好的衣服，轻松地来回漫步，与身边的人客气寒暄，对稍远的人热情喊叫。

这也是未婚男女炫耀风采、展现魅力的好机会。成群结队的女孩子在经过意中人面前时，会羞怯傻笑，男孩们则一面假装满不在乎地评头论足，一面频频回头瞄着心仪对象婀娜多姿的背影。但是，年长的已婚妇女才是这秀场永远的主角。她们的头发总是造型无瑕，细镶蕾丝披肩款款披在肩上；

此外，无论阴晴寒暑，总不时啪的一下打开金银镶边的扇子，在脸颊边轻快扇凉，或是——容我冒失地说——用来遮掩说八卦的嘴，以免让人读出唇语。

街头漫步这个传统，据他们说，由来已久，已不可考，无疑也传入了地中海其他国家，只是叫法不同而已。不过街头漫步在西班牙的发展很特别，已经变成一种很有涵养的习俗，即使最卑微的市民都能平等加入，无论这人是否有钱有势。尽管如此，也许这还是比较适合西班牙人独享的一种民俗。倒不是从世界各地来此观光或居住的外籍人士会受到排斥，正好相反，毕竟外国人加入又能给本地人提供一些茶余饭后的话题，不，只不过只有西班牙人才拥有漫步街头时那种必不可少的泰然自若的优雅神态。

可以这么说：西班牙人在街头漫步时，“注入”了一些别的东西。其他民族只不过在街头漫步罢了。

在我们搬到“市长府邸”之前，我印象最深刻的街头漫步是度假时在马略卡岛邻近的梅诺卡岛看到的。梅诺卡岛首府马翁是个美丽的小都市，拥有一个著名的广场。每到夏天夜晚，镇民聚集在此漫步是由来已久的习俗，我们这种观光客看到后，真是又喜欢又羡慕，因为再难找到比这更赏心悦目的情景了——一个树荫蔽天的宽阔广场，四周围绕着绿意掩映的建筑物，白鸽拍着翅膀飞下来啄食嬉笑孩童扔撒的向日葵籽，当地人和观光客聚在摊贩四周，流着口水等着买吱吱作响的甜甜圈和夹着腌制香肠的脆皮三明治。壮观、晕着光圈的地中海落日是多么令人难忘！

我们很期待能在这个海岛新家园重温那种气氛，然而，让我们愈来愈失望的是，农场上非做不可的活儿把每天的工作时间拉得很长，我们根本没办法重温旧梦。

就在这个时候，街头漫步却自己找上门了！当然不是来自安德拉奇镇西班牙广场的大队人马，而是小得多也更为质朴的人群，对我们来说却自有其风味。那是三月底一个阳光普照的黄昏，一场马略卡春秋两季换季时常见的暴风雨刚刚停止，整个山谷都沐浴在香气弥漫的宁静日光下。

首先是一位老妇人牵着像是她孙女的女孩，沿着巷子缓缓走来；接着是一个拄着拐杖蹒跚而行的老先生；随后是两个手挽手像是姊妹的十几岁女孩（也可能只是两人化了相似的浓妆）。很快，后面跟上二十多个人，有些成群结伴，有些独自一人，三三两两随意走过，每个人都微微点着头："下午好，先生！"在经过我们的农庄大门时，他们向我们打招呼，并且朝门内一瞥，露出惊讶的表情，也许是奇怪我们怎么还在工作。所有人都迈着悠闲的步伐前进，这是街头漫步不可或缺的因素。

我们认出他们是小路另一头大约半英里外一个村子里的人。其中很多人我们只在开车前往安德拉奇镇的途中看过他们站在自家门口羞怯地望着我们。他们大多是中等收入的本地人，住在小村子仅有的一条街上的普通平房里。不过，他们看起来不太像马略卡人。他们缺乏地道的马略卡岛民那种悠然自得的神态——至少年长一代的一些岛民的确拥有这种气质。

“那是内陆西班牙人！”有一天我向霍尔迪提起这件事时，他曾这样解释，“马德里政府把他们从内陆遣送过来。不错，这是很多年以前的事了。他们把那些人送过来修筑环山道路，老兄——沿着见鬼的海岸线，一直远至埃斯特连克斯、班雅尔布法以及德阿。让这些人做很多危险的工作。”他加了一句，严肃地摇摇头。

我催他多讲一些，于是霍尔迪说，政府把西班牙内陆比较贫穷地区的一些家庭“出口”到外地，表面上是提供廉价劳工去整修崎岖的道路。这些道路高于海平面数百米以上，连接特拉蒙塔纳山陡峭的北侧山麓。这的确就是那些男人过往的用途，冒着断肢丧命的危险，在极端危险的情况下工作。

不过许多本地人曾坚信，有些人至今仍怀疑，中央政府把这些人安置到马略卡背后的真正动机，是想用内陆西班牙人去“稀释”有强烈独立精神的本地居民。因为，虽然马略卡在地理上和政治上都是西班牙的一部分，但是大多数马略卡人却忠诚地认为自己首先是“马略卡人”，西班牙人的身份只是次要的而已（有时甚至是非常不情愿承认的）。

就算曾经暗地里有过派内陆民族到岛上来完成“殖民”

的宏伟计划，以征服马略卡民族、压制马略卡语言，但这个策略也没有太大收获，反而使外地人成为多少有点孤立的社群，至少不为部分本地人所欢迎。是不是一些马略卡人有仇外心理，还是说他们对政府的猜疑确有其事？也许一切只是西班牙内战的后续结果？谁知道呢？但是时间这个伟大的治愈者终于软化了他们的态度，至少在马略卡的年轻一代中如此。如今，他们大多数已逐渐接受了他们的同辈，也就是外地人在岛上生下的子女，视他们为平等的同胞。

“对我而言，”霍尔迪耸耸肩，“我接受每个我遇到的人。我曾经在西班牙、法国、德国、英国都待过。我可以告诉你，老兄，每个地方都有好人也有坏人。见鬼的！人生太他妈的短了，没时间去排挤那些好人！”

很不错的哲学。身为头号外来者，我们很高兴遇到的马略卡人似乎都很乐于分享。同样，我们也如此对待从村落来的、作为前内陆人的邻居，希望这种感情会产生互惠的效果。

自从本季那回街头漫步时同那些邻居以几近偷瞄的方式打过照面之后，他们开始一个接一个偶尔在路过时停下来，跟我们说两句玩笑话，同时，我猜想他们也是想靠近看看我们这些从北方来的金发碧眼怪人，看看我们在岛上耕作的情形，即使在神圣不可侵犯的午睡时间——最近我们正在强迫自己培养这个新习惯——也会过来。

“你的女友实在不怎么样。”查理跟他哥哥说。

森迪头都没有抬一下，继续努力绕着一株树挖灌溉渠。他用的是一个短柄三角锄头，这是西班牙人最喜欢的工具，可以做各种工作，从搅拌水泥到……嗯，挖灌溉渠。

“我在想，不知道西班牙人怎么称呼这个东西。”我说着从森迪手中接过那凹面刀锋的工具，让他喘口气。

“大蠢蛋，这是我给它的名字。”森迪喃喃地说。他转转肩膀，弯弯发酸的背。“还有五百多棵树要挖渠。老天，一定有更好的办法。”

“告诉你，你的女友实在不怎么样！”查理坚持说。

我看着查理一直朝小巷那边的大门眨眼，森迪随他的视线望过去，马上做了个鬼脸。

“噢，不！”森迪嘀咕着，“不要又是那对‘恐怖姊妹’！”

她们距离我们工作的地方有三十米远，然而即使隔得这么远，我仍然看得出几周前途经“市长府邸”的街头漫步小队伍中相当显眼的那两个浓妆艳抹的女孩，现在已经轻车熟路了。最近她们养成了习惯，不仅在传统的街头漫步时出现，也在能暂时放下工作的白天过来。她们会沿着巷子漫步到这边，假装不在意的样子，如果看到森迪在地里工作，就会停在大门口羞怯地对他笑，用涂了浓浓睫毛膏的眼睛对他抛媚眼。

“我觉得我那个还真有气质呢。”查理打趣说道。

“你是经验之谈嘛！”森迪一面喃喃地说，一面假装看别的什么东西似的把头转到两个仰慕者相反的方向。

“过去和她们聊聊天，森迪。”我建议森迪，偷偷向查理挤眼，“可以练练你的西班牙语。”

森迪没转身，瞎弄着旁边杏树的低枝。“才不要！”他嘟哝着，“不合我的胃口。太装修风了。”

“装修风？”

“对，脸上就像刷墙一样。”

这么说太粗鲁了，可是我了解他的意思。我第一次在街头漫步人群中看见这两个女孩时，第一眼的印象以为她们有三十几岁了，所以才会绝望到要浓妆艳抹，让自己看起来年轻一点。可是后来有几次开车经过，在车里比较近距离看她们时，我发现她们才十七八岁而已，头发乌黑，是很漂亮的女孩，有很明显的西班牙南部人血统。不知道为了什么可能连她们自己都不清楚的理由，用厚厚的粉底、胭脂、大红色唇膏和过浓的眼影，把脸上的自然美感都盖住了，就像刚从巴斯特·基顿[1]的影片里走出来似的。虽然森迪给她们起的“恐怖姊妹”诨名有些太不客气了，可是如果在夜黑风高的时刻猛然跟她们打个照面，也许还真会被吓一跳呢。

“跟在她们后面盯梢的是她们的兄弟。”当森迪慢慢穿过林木，走向放着拖拉机和各类工具的石砌小农具屋时，查理

1 美国著名默片导演兼演员。

偷偷告诉我，“有两个，当‘恐怖姊妹’偷窥时，他们通常就在附近晃来晃去。”

“他们是监护人，查理。西班牙人的传统。”

“我叫他们保镖。想想看，如果有两个大汉在你后脑勺紧紧盯着，你怎么可能钓得到马子？”

这是十二岁小男生的深谋远虑。

不过查理明显已经开始对异性感兴趣了，我预感他在这方面不会像他哥哥那么小心谨慎，至少从今天他们的表现看来如此。

不管怎样，谜一般的“恐怖姊妹”对森迪的遥遥致意，终于因为我们这位的不解风情和冷淡，渐渐无疾而终。她们在巷子里露脸的频率愈来愈小，几个礼拜之后的一个晚上，我们在安德拉奇镇看到她们，原来她们已经从简朴的“市长府邸”街头漫步队晋级到成熟的西班牙广场人潮里了。她们依旧浓妆艳抹，依旧手拉手悠然散步，依旧背后跟着两个兄弟，看得出来，依旧待字闺中。

但是她们不会久等的。在地中海这么温暖迷人的夜晚，爱情总有一天会降临到她们身上的。只是，我想，必须等她们放弃脸上的浓妆艳抹，露出掩盖在脂粉下自然无瑕的美丽才行。而以现代作风之名（地中海海岸温暖迷人的夜晚无可避免会激发这样的结局，但愿“现代作风”这个委婉语不会太过明显），两个护驾的兄弟也大可暂时抛开传统到一边休息去。毫无疑问，世事总是如此。

这阵子艾莉本来有个“秘密”心愿，就是森迪能很快找到一个对象，让一个本地的好女孩来俘获他的心，鼓励他把根永远扎在这个岛上。看来这个想法还要等一阵子。虽然有天早上，一个村里的太太来访时，这个秘密心愿似乎曾有一丝实现的曙光……

那位太太是漫步队伍中的常客，是位瘦削、头发灰白、七十岁左右的老妇人，在路过的村民里，她总是最开朗外向的一个，永远咧着嘴给我们一个大大的笑容，愉快地跟我们打招呼，和其他比较保守的邻居形成鲜明对比。慢慢地，我们都用“面包牙太太”称呼她，因为她咧开嘴笑时，我们总是看得到上排假牙缝里塞着白面包屑，显然老太太以洁白的假牙为傲，这也很正常。

当艾莉为她打开大门时，她向艾莉坦承，虽然现在时节已晚，但是她注意到我们有些果树上还有一些橘子，不知能不能向我们买一些。

我们的确有些果树，在佩佩刻意刀下留情后还剩一些橘子，但都过了最好的采收期，不再那么新鲜饱满，不可能再卖给赫罗尼莫先生了。事实上，因为不想看它们白白浪费，我们已经尽可能榨成果汁当日常饮料了，直至查理发誓说，我们的皮肤已经开始变成橘色。我们已经吸收了太多维生素

C，他认为对他这年纪的孩子是不利的，而且如果他这辈子再也看不到一个橘子，那他也未免太可怜了。

所以，听到有人愿意帮忙拯救这些橘子，免得最后烂在地上，艾莉松了一口气。艾莉张开双臂热情欢迎这位太太，用不时冒出英语的西班牙语表示她可以随意拿，完全免费，爱拿多少就拿多少，尤其是如果她不在意自己动手去捡的话。老太太点点头表示很感激，然后把手伸进琳琅满目的购物袋，掏出一把很旧却磨得很亮的修树大剪刀。

“有备无患！”她说，笑着把一些打包的自制三明治亮给艾莉看。赶在柑橘季节的尾声，这位太太显然深谙“天助自助者”的道理。“过来！”接着她高声唤着，走回大门口去叫站在墙角的人，“过来，卡门，小丫头！”

卡门是她的孙女，一个美丽、害羞、十七岁左右的女孩，当她和艾莉握手时，脸上绽放出迷人的笑靥，同时行了一个恭敬的屈膝礼。

“噢，不用这么正式，”艾莉大笑起来，也礼貌地屈膝回礼，“我又不是女王，就算是，我也会马上废了这种繁文缛节。”

“是的，太太。”卡门莞尔一笑，又行了个屈膝礼。

当卡门和祖母慢慢走向柑橘园时，我来到院子里，站在艾莉旁边。艾莉凝视她们的眼神中带有一种梦幻感。我对她的心思一目了然。

“别白费心思想着用恋爱拴住森迪了，艾莉。”

“我没有。”

“相信我，如果森迪不是自己百分百确定将来要在马略卡发展，交个本地女友对他来说并不能让事情变简单，反而会适得其反。”

艾莉叹了口气，很不情愿地点头表示同意。毕竟她只是希望一家人住在一起，因为苏格兰的故乡有很多人都认为我们行事太鲁莽了。记得第一次向两个儿子宣布我们打算背井离乡，远赴马略卡做新手果农时，那时的森迪是对未来生活怀有憧憬的，反而是年纪小的查理比较冷淡——说冷淡其实是最乐观的形容了。可到了现在，他们的情况似乎颠倒了过来。

查理虽然刚开始强烈排斥，却很快就接受了岛上学校的自由氛围。这是一所讲英语的国际学校，最严格的制服就是运动衫、运动鞋和牛仔裤。而且美国小孩（很多都是父亲在中东油田工作，由母亲陪伴在此居住）一多，就把自己美国大西洋中部地区的拉长口音传给了所有新同学，无论对方是什么国籍都一样。查理已经在学校里和大多数孩子一起拉长口音说话了。

可是正当他忙着跟一大票新交的朋友鬼混、在阳光下运动、接受比起在苏格兰时悠闲得多的教育之际，他哥哥却大部分时间都困在山谷里，在农场上干活儿。这里的社交环境对森迪来说并不太好，与附近的邻居相比，他的父母都算是年轻人了。当然，他也加入了马略卡的青年足球俱乐部，但是俱乐部位于帕尔马北部，距离这里有二十英里之遥。虽然森迪很能融入其中，与马略卡球队队员都成了好友，但毕竟他们没有一个住在我们这一带。所以，本地的社交圈仍有待建立。这对年仅十八岁、还在学习本地语言的外国人来说并不容易，尤其我们又住在淳朴的乡下，附近居民全都老得足以做他祖父母了。

虽然艾莉是出于好意，但实话实说，想帮森迪在附近找一个“年轻好女孩”的确是不合适的想法。如果艾莉曾经对“面包牙太太”产生过任何联姻的遐想，当祖孙二人提着满袋刚采摘的橘子回来时，这个遐想也很快就破碎了。老妇人的来访让人觉得是另有所图，至少部分目的是推销卡门，只不过推销的性质我们后来才发现非常不浪漫而已。

“我们卡门是个好女孩，”她对艾莉和我强调，“识字、安静又强壮，是个好工人，非常爱干净。我向你保证，太太，你可以把她独自留在房子里，而不用担心你的私人物品受到骚扰。”

艾莉茫然地看着我，勉强吐出一句话来：“我的私人物品？什么意思？听起来让人好不舒服。”

“她指的是个人的小玩意儿。”我对老妇人微笑，一边用英文对艾莉说，“我想这位太太来的任务，是看看有没有工作机会。”

准没错。当卡门静静盯着自己的脚，看起来一副困窘的样子时，她的祖母却继续如数家珍地介绍孙女的工作能力，努力向我们保证年轻人可信赖的品行。最后终于说到重点，她听说苏格兰太太没有女佣，一个女人独自照顾这么大的房子十分吃力。卡门，她强调，会是再适合不过的人选。“真的，她甚至可以住在这里！呃……当然，工资之外还得包三餐。”

我不太确定该怎样回应这种虽然真诚却很意外的好意，才不会伤了对方的感情，所以迟疑着不知该如何回答才好。但是这位老太太还有下文。

“啊，先生，还有一件事！”她的话还没完，转身用满是皱纹的手指着果园。

“对你这种绅士来说，这种农场上的活儿太多了。在西班牙，农场主人自己是不下田干活的。”她瞄了艾莉一眼，甜甜地微笑着，然后用很肯定的目光看着我，“当然也不该期望太太在田里干活。绝对不行！先生，你需要工人来为你干。这里都是这样的。不会错的……尤其是外国人。”

我正想解释我们跟那些有钱的退休人员或来此度假的外国人不大一样，他们在西班牙买农场纯粹是为了享受古老石屋的迷人情调，但老太太又抢在我前面讲话了。她告诉我们——其实我多少已经猜到了——她有三个很好的孙子，高大强壮的小伙子，对马略卡苦毒的太阳已经习惯了，会是我们很好的农场帮手。然后，她注意到我沉重的表情，带着充满期盼的笑容又加了一句，“嗯，也许用轮班的方式就行了？”

我觉得没必要拐弯抹角，所以尽量用体恤的口气向老太太祖孙解释，在我们的家乡，如果要做个小农场的农夫，由于实际生活的需要，必须自己动手劳作，必要时妻子得随时帮忙农事（你知道的，事情不顺时总得有个人帮衬！），如果有儿子，儿子也得听候差遣。为了家庭收入，不这么做不行。同样，像“市长府邸”这么小的农庄，赚的钱除了维持自家人的生活外，不足以养活其他人……即使维持自家人，我沉吟道，都已经很不容易了。

老妇人热情的神采一瞬间就变成失望了。但是她很快又振作起来，对我们闪过一个无力的笑容。“可是这栋房子，”她乐观地问道，“苏格兰夫人还是需要有人帮忙做家务吧，不用吗？”看到我否定的表情，她又温和地问道，“也许一个礼拜只要一两天？”

我缓缓摇头，抱歉我们不能接受她好心的建议，同时再次清楚地申明我的立场。我们不是她在马略卡乡间见过的那种外国人，那种把田园生活当作爱好的农夫，他们也许有能力花钱请人工作，自己则悠闲享受乡村生活。我们是凡事都自己动手的人，自己做家务，而且乐此不疲。这是我们习惯的生活方式，艾莉也宁愿自己做清洁工、厨师和洗碗工，做家里一切事情的女主人。

接下来是好一段时间的沉默，“面包牙太太”在我和艾莉脸上轮流审视了一番之后，眼中流露出希望破灭的神色。“那，”她终于叹了一口气，我们在她心中的形象完全破碎，“你……跟我们也没有一点不一样嘛？”

我不得不点点头，不在乎地耸耸肩。“你说得完全没错，太太，”我承认道，“恐怕我们真的只是跟你们完全一样的农夫。”

至于森迪那天突然走向小农具屋的真实原因，并非仅仅为了逃避“恐怖姊妹”。听见那台小巴维里拖拉机独特的柴油引擎声从农具屋的方向传来，我的确吓了一跳。通常，我需要森迪开着拖拉机做点农事时，他总是又叫又跳百般不愿地走向那里，现在为什么他自愿驾着它开往我这儿来？田地都已翻土耕作了，为什么他还要在机器上加装锄刀？

“无痛灌溉。”他答道。

“我不懂。”我说。

“我懂。”查理很轻快地说道，“嘿，老哥，好主意！”

“我还是不懂。”

两兄弟同时发出会心的笑声。

“当你用锄头锄了十分钟的地后，你的背会怎样？”森迪问。

“事实上会酸痛得半死，”我望着地上那把小工具的弯曲把手，对我们北欧人来说推动它似乎比拉动它更容易，“总之，为什么突然对这小拖拉机有兴趣？”

“答案很简单，”两兄弟异口同声，“为了不再腰酸背痛。”

“不，不，”我取笑道，“佩佩·苏沃说过灌溉渠必须绕着每棵树，距树干两米左右。”

“为什么？”森迪问。

“因为他说那是树木汲取水分的地方，不是从树干处，而是从最外面树枝下方的细树根处吸收。”

“老爸，你没听懂我们的重点。”查理发表高见，露出得意的傻笑。

“不，我懂，查理。你们这两个自以为是的傻蛋认为能用这东西挖灌溉渠，对吗？”

“没错。”

“错得离谱。这东西的设计只能直线挖掘，想挖出半径两米的圆？做梦！”

两兄弟你望着我，我望着你，神秘地互相眨着眼。

“谁说灌溉渠一定得挖圆形的？”森迪试探着问道。

“嗯……你知道的……嗯，本来就是这样的……”我搜肠刮肚地想答案，“我是说，树本来就是这样子长的。从空中俯瞰，它是圆的。”

“聪明的树算得出它吸的水是来自方形沟渠而非圆形沟

渠吗？”查理咯咯笑。

答案终于清晰了。男孩们当然是对的。无须绕着田地上的每棵树用手掘圆形水渠，只需让拖拉机直线行进，不时用锄刀在树的行列之间锄土，接着另外三边再重复一样的过程，直到每棵树都被深掘的犁沟围绕——虽然是方形的犁沟。孩子们的懒人基因倒帮他们想出了省力秘诀，免去了累断腰的劳作，这苦活我可一点也不期待。

“聪明！”到田里来提醒我们吃午餐的艾莉说，“聪明到我想我们应该好好请他们吃一顿，走！”

到餐厅吃饭要预约这样的事并不能吓退艾莉，尤其是在星期天，这是典型的西班牙大家族一定会延长午餐时间的日子。

“谢啦，不过别把我算上，”森迪说，“足球，记得吗？我们今天有主场比赛。”

“是啊，”查理附和说，“我想午餐我也不能参加，我要跟森迪去看球赛。”他加入哥哥的行列，又用期待的表情看着我，“我们可不可以在路上买两个巨无霸套餐？”

“行！”我回答，愉快地递给两个男孩够买汉堡的钱。感谢老天，这些花费比起让这两个小伙子跟我们到传统西班牙餐馆大吃一顿要少多了。

这样，最后我们的家庭聚餐只有两人。艾莉和我换了衣服，跳进福特嘉年华，向帕尔马进发，全然不知我们要去的餐厅会有多么传统……

✣✣✣

我们来到帕尔马西郊时，一艘流线型邮轮停泊在皮港码头，高耸在我们的道路前方，它像富丽柱石般护卫着停泊在宽阔海域内一望无际的船舶。气派的邮轮在汽艇掠过时随波摇晃，每一艘船都是船东财富的豪放声明，但它们在巨大的远洋邮轮面前无不黯然失色。这些远洋邮轮中有不少船名带着东方风情，写在船侧；还有直升机停在船尾的防撞托架上，像只巨大的苍蝇。

“他们显然不是柑橘果农，”艾莉评论道，“我们甚至买不起这些船上的接驳船。”

“嗯，此时此刻我们只是少了几口油井罢了。”我认同，“老实说，我们可能甚至都买不起接驳船的附属船。”

在这样的思绪下我们陷入沉默，一边也被帕尔马海滨的棕榈树美景所震撼。虽然距离山谷的家不到二十英里，这马略卡的著名美景简直全然相异。马略卡旅游业兴起，仿若王冠，这里就是王冠上缀满酒店的宝石。小渔船上挂着过大的灯笼，在夜间吸引沙丁鱼群，只有此情此景才能让人想起传统的岛屿生活仍在继续。只是这些渔船也不得不和与日俱增的休闲富人分享拥挤的码头。

“我们要去哪儿？”艾莉问。

“出城去另一头通往马纳科尔的道路。”

“那为什么不走环行高速公路？现在没办法上去吗？”艾莉问。

“当然可以，可是你要拿这些漂亮风景来换混凝土公路吗？”我指着游艇林立的桅杆，以及海湾远方的帕尔马大教堂，教堂醒目的轮廓俯视着城市和海滨。“这可是地中海最壮丽的景致，好好欣赏吧！”

艾莉不再反对。

我们没法不注意停泊在离岸一英里处的一艘来访的美国航空母舰，它深沉的舰身显得与马略卡一向轻松的氛围格格不入。虽然如此，这让人不安又严肃的庞然大物仍出没在美丽海域的边缘。这里曾是古代的世界中心，而今则由遥远的年轻国家派出舰艇巡逻。昔日西班牙探险家觊觎的大自然宝藏，提升了这个年轻国家的国力。

我们停在红绿灯前，让船坞区成群结队出来的美国年轻水手通过。舰上的接驳汽艇运送他们离开海上堡垒般简朴的舱房。这些身着雪白制服、脸庞因期待上岸放假而发光的年轻水手，大多数都直接走向车道对面的古老交易所。不过，我怀疑吸引“山姆大叔”子弟兵的，并非展示在交易所精致博物馆里的关于岛上海事历史的工艺品，更可能是在老城后方如迷宫般的窄街暗巷里可能找到并以些许美金买到的热情女伴。

“嘁，你知道水手就是这副德行。”我对艾莉说。她微蹙眉头，看着这群兴冲冲的喇叭裤水手蜂拥而出。

“是啊，”她喃喃自语，“一群好色之徒。”

从帕尔马东行至熙熙攘攘的城镇马纳科尔的道路将马略卡岛一分为二，终点是布满小海湾、拥有一群热闹度假胜地的绵延海岸，海岸线从卡拉纳雅达往南至距离首府三十英里左右的克里斯托港。我今天本没打算开这么远，但尽管我们已经提早出门想避过高峰时刻，可从帕尔马出城吃午餐的周日车潮早已开始。连绵的车潮从城里慢慢拐入车道，载着人们前往精选的大餐厅，这些餐馆分布在帕尔马到阿尔盖达乡村之间约十英里的道路旁。我们眼睛必须擦亮点，才好在这些热门餐厅中找到一张空桌子。

出了城，沿途风景与我们蜗居在西南隅山谷的家园山色恰成对比。马略卡中部广袤的埃斯普拉平原在眼前徐徐展开。砂岩结构的农场建筑是杏仁壳的颜色，仿佛漂浮在绿褐大地上的船屋小舰队。上百座风车带间隙的轮叶则如破烂风帆般，烘托着远山的蔚蓝天际。

两头蹒跚的母牛在没有栅栏的牧草地吃草，躲在高大棕榈树的阴影下注视汗流浃背的农夫忙活骡子拉的犁，准备栽种新作物——也许正是这些安分母牛的饲料。此时，一架喷气式客机毫无疑问正满载着早春游客从低空呼啸着朝终点帕尔马机场而去。埃斯普拉平原揭示了马略卡岛的两类风采，一是极端古老，一是贪婪逐新，刹那间被捕捉在无可逃避的改变的快照中。汗如雨下的农夫一边诅咒着飞机，一边呵斥着骡子。

不过，这个岛最大的魅力之一，就是永远令人惊奇。开出几公里后，平原开始微微隆起，进入略有起伏的松林和马略卡地中海海岸灌木林区。低矮的常绿橡树和银色的橄榄树昂然耸立，下面纠缠着鼠李和金雀花的矮树丛，吐纳着混合了杜松、迷迭香和石楠的香气。

然而，隔不了多久，这幅野生丛林的画面就转换成耕种的景色。这里的景物和埃斯普拉平原匀称协调的耕作景观截然不同，埃斯普拉平原无所不在的风车汲取着丰沛的地下水源，灌溉密集栽种的蔬菜和果树。随着坡度渐升，我们正经过一条快捷笔直的道路，道旁的松林夹杂着杏树丛和橄榄树丛。这些地中海沿岸功不可没的树木，吸取了当地适量的雨水，在泥土中迅速生长。数世纪以来，从泥土中清理出的黄褐色石块被砌成围墙，随意隔出一块块田畴。

一只大黄鸟猝然掠过前方路面，消失在农庄旁含羞草缠绕的树丛中。

“哇！”艾莉吸了一口气，“好像是金丝雀！”

“是金黄鹂。”我低声笑着。

“你说什么？”

“我说那是金黄鹂。”

我眼角的余光看见艾莉狐疑地盯着我：“什么时候你又成了鸟类专家了？”

“哦，我本来也不知道那是什么鸟，”我承认，“有次佩佩修树时指给我看过。他说这种鸟难得一见，据说看到这种鸟会带来好运。”

“嗯，那我希望它带来的好运是让你赶快找到一家餐厅。我们都经过好几家了，老天，到底怎么回事？”

“因为我还没看到一家餐厅的停车场停得够满。永远要找生意兴隆的餐厅吃饭，这才是食物品质的象征，才能物有所值。”

“话是不错，可是以这种速度，我们哪里也到不了。看看路上堵的！”

在阿尔盖达村外，我终于找到了理想的地方。那是一家路边餐厅，生意好到在停车场我几乎找不到空位。“请由酒吧进入。”告示牌上写着。进去后是一个不起眼的茶水间，三个沉得住气的吧台女招待正在把饮料发给堵塞到门口的嘈杂客人。

“你留在门边等着！”我在艾莉耳边喊，试着朝通道的方向挤过去。从这里看得见餐厅里面已经客满了。“我去吧台订位子。”

艾莉摇摇头大声喊道：“不用那么麻烦。你看，这里有——”

我挥挥手不理她，开始挤进人潮想杀出一条血路，同时回头向她吼道："没错，看起来希望不大，我知道，可是我才不想那么轻易就放弃。"

艾莉闭上眼睛，还是一个劲沮丧地摇头。

"失败主义者。"我喃喃自语，努力从两位只有两品脱身子却有十加仑[1]胸脯的马略卡小姐中间挤过去。"借过，女士！"我抬手试着缩小腰围时，拇指不小心擦过了什么，我即刻祈祷那只是对面小姐穿在抗拒地心引力胸脯上的羊毛上衣纽扣。

"噢——啦啦！"她尖叫了一声，反射性地抬起双手，忘了她手里提了一个购物篮，那里面的一大堆物品中有一样很重要的东西——一根法棍。

我咬紧下唇，闷声张大鼻孔，好缓解下体传来的疼痛。

法棍妇人低头检视面包棒快速上升的最后轨迹，然后慢慢抬头看到我。"对不起，先生！"她连声道歉，努力想忍住不笑。

她的同伴却咯咯笑着说："人家说好的法棍总是发得快，先生。"她说，意味深长地瞄了一眼我受伤的部位，"也许面包师傅在这根面包棒里放了太多酵母粉了，是不是？"

"不要紧的，女士们。"我说着谎，女高音似的咿呀着，

---

1 品脱和加仑均为液量单位，1 品脱约合 0.568 升，1 加仑约合 4.546 升。

拼命眨眼把眼泪憋回去，“都……都是我自己不对。”

我越发小心翼翼地前进，终于离吧台只有几英尺的距离了。“麻烦你，我要订两个位子。”我伸出两根手指，在四周喧闹的谈话声中对一位吧台小姐说。

吧台小姐毫不受影响地继续操作着咖啡机，取出开瓶器，打开啤酒瓶盖，把酒倒进酒杯，拉开收银抽屉，找零，擦拭吧台，和其他女侍八卦。同时她举起一根手指，指指吧台尽头处。一位马略卡本地人模样的黑衣老妇站在那里，手里摇晃着一本奖券，正咧着嘴对我笑。

我隔着无数人头演哑剧般遥遥对她打手势，表示我不打算买奖券。我是来吃饭的！老妇人不厌其烦地微笑着，再度晃动奖券本，同时朝艾莉模糊地比了个手势。艾莉仍站在刚才我离开她的地方，距离拿着奖券的老妇只有几英尺之遥。艾莉开心地拿着一张奖券，不耐烦地挥着手叫我过去。

“我还没订到位子！”我在嘈杂不息的人声中向她喊道，“耐心一点，好不好？”艾莉显然非常不满意。她再度作势要我过去，皱着眉头做出命令的表情，然后露出十分开心的样子假装要吃奖券。

我镇定地吸了一口烟雾弥漫的空气，再度侧身从同一群人中间挤过去，推来推去的接触让我对这些人产生了一点亲密感。“啊，借过！”我不断说着，轻拍已经熟悉的肩膀，对这些皱着眉表示困惑的马略卡人谦和地微笑。这个娘娘腔的外国佬是谁？我可以感受到他们的想法，他刚刚拼命挤到吧台那边，现在又挤回来……却连一杯饮料都没买？

“好得很，艾莉！”好不容易挤回门边后，我对艾莉吼道，“我挨了一记，撞得淤青，几乎被人阉了，我本想帮我们订个位子吃午饭，你却忽然决定宁愿吃奖券！太棒了！”

艾莉沾沾自喜地笑着：“如果你听我的话，不去这么多人中间挤，就不用吃这些苦头了。”

“啊？怎么回事？”

“我们刚进来时，那位穿黑衣服的好心老太太就试着跟你打招呼了。”

“嗯，没错，”我咕哝着，“在这种乡下地方，餐厅里都会有人向你兜售彩票之类的东西。可我们是来吃饭的，不是——”

“可是那个老太太没有向任何人推销任何东西。”

“那么那些奖券是怎么回事？”

“是这里的制度。如果你要订位子，她就会给你一张印有号码的订位券。等餐馆里的人叫到你的号码，她就会让你进去。在生意这么好的地方，他们不可能让每个人像开推土机般挤到吧台订位，对不对？”她带着优越感微微一笑，“我是说，如果大家都去订位，就没有人能在吧台买到饮料了，不是吗？”

“这倒是真的，”我喃喃说着，不想让偷笑的发券老太太看到我惭愧的表情，“我还硬要去丢人现眼，去了吧台却一杯饮料都没买！”

艾莉凑近我幸灾乐祸地轻声说：“你看吧，也许你不该经过那么多地方都不停，只因为那些地方在你看来生意不够好！”

也许她说得有道理，但我们用不了多久就会知道答案的。

我们占了两个刚刚空出来的靠窗位子，坐下来观察这里的环境。我马上在想为什么那么多顾客会被吸引到这里来。不可能是这栋建筑——毫无装饰的地板和桌椅、几个静止不动的吊扇、注定战胜不了马略卡语喧嚣对话的磁带播放的轻柔背景音乐、小孩的尖叫声，还有墙壁上电视里的新闻播报员，正在上百个漠不关心的人头顶上播报着最近发生的不幸事件。一对聒噪的鹦鹉在我们头顶的鸟笼里无动于衷地啄着脚趾，另一只金丝雀在这个空气污浊的大厅另一头扯着嗓门，声嘶力竭地高唱着。地道的疯人院。基本上，这里拥有传统西班牙酒吧所有的迷人特征，有过之而无不及。

我终于同意，不错，这里确实是个相当棒的地方……

除了那些袖珍魔鬼玩偶！

是忽然瞥到艾莉脸上不安的神情，我才注意到那些小玩偶的。她的视线透过酒吧后面通往餐厅的出入口，盯着一个架子上面站着的一组小东西：头上长角，红眼怒视，箭尖一样的尾巴垂在分蹄脚趾上。

我用头点向窗子外面，窗外站着的是个真人大小的魔鬼雕像，手执一根红黄二色的三叉戟。“我想这应该是马略卡语的‘魔鬼之屋’的意思。”

那位发订位券的老妇人看到艾莉困惑的表情，过来解释这些魔鬼是岛上民俗的一部分，源自异教时代。后来这些形象被基督徒借用，几个世纪以来，马略卡年中的祭祀庆典活动中，由男人和男孩假扮魔鬼是很重要的部分。而且她向艾莉保证，它们都是无伤大雅的角色，没有任何超自然或不洁的意味在内，只不过是民俗游行时，用恶作剧的把戏来娱乐群众的小丑而已。老妇人大笑着说，他们假扮魔鬼所做过最坏的事情，不过是捣碎黏土罐子，或是用三叉戟去撩起女人的裙子。即便是这些动作，也完全属于传统民俗的一部分，虽然女孩们会尖叫，其实她们开心得很呢。这些魔鬼并不代表撒旦，而是以无伤大雅的方式刻画人性中坏的一面，激起人们既恐惧又兴奋的情绪。此外，能在村子里扮演头号魔鬼是无上光荣的事，人们称这个魔鬼为“魔鬼库卡雷”，通常由同一个家族的人世代承袭，扮演这个角色。

从老妇人流畅的解释中明显能看出，多年来她一直在为“魔鬼之屋”的客人们答疑解惑。回到餐馆门边自己的岗位时，她露出了沉静自信的神情。

可是艾莉看起来还是不太开心。“我还是觉得这地方挺恐怖的，”她悄声说道，“有点阴森森的……反正，很古怪。”

“别傻了，这些魔鬼之类的东西不过是道具而已，用来吸引人的把戏罢了。”我镇定地咯咯笑了两声，“不过是有点阴森冰冷，真是荒唐。”

就在这时，灰色的天空划过一道闪电，吧台后面的灯光闪烁不定，远处响起隆隆的雷声。

可怜的艾莉，她真的被打雷和闪电吓到了。平常爱看的鬼怪和恐怖片一点用都没有。雷声加上想象，她就抓狂了。如果不管她，她一定马上就从“魔鬼之屋”谢幕退场，逃之夭夭了。好在我好言相劝，加上飘进酒吧的诱人食物香味，才让她正常的理性占了上风。而且，并没有如我们担心的那样等得太久，就叫到我们的号码了。

管订位券的老妇人带我们进入餐厅时告诉我们，能这么快就等到位子已经很幸运了，并且说两个人的位子在星期天需求量比较少。“这是西班牙人家庭聚餐的日子哪！”她絮絮叨叨地说着，最后祝我们用餐愉快时，她在我们背后喊了一声：“恭喜发财！”

这么说可能也挺奇怪的。可是我们这种连自己用餐前的祝福词都经常借用法语的人，哪敢随便质疑人家语言里的细节之处？仔细想想，也许长久以来，至少直到近代，英国人对于吃饭的态度一直只是满足生存所需而已，不像地中海沿岸的民族，他们会在厨房或酒窖花很长时间，轻松地庆祝、欢笑，享受与亲友相伴、谈天说地的乐趣。

当一位穿白围裙的男侍带我们到座位时，餐馆正弥漫在这种轻松欢乐的气氛之中。这群西班牙侍者都有资格拿最佳专业精神奖，因为他们在午后这么喧闹的环境中工作，竟然还能笑得那么自然。

在马略卡，我一直很喜欢星期天中午到外面吃饭的感觉，我有预感今天的“魔鬼之屋”不会让我失望。这里的大厅极宽敞，环境气氛都很吸引人。这里没有豪华的家具，没有奢华的装潢，其实这里的装饰甚至有点土里土气的，但这地方有一种很迷人的马略卡旧日风情。两根粗壮的石柱支撑着圆木横梁搭成的斜屋顶，梁柱间密密麻麻覆盖着藤编木条，藤条被下面巨型火炉燃烧木头时升起的烟熏得发亮。天花板下横架着一排排粗长的竹竿，竹竿上垂着大大小小、奇形怪状的自制火腿，下方周到地架着浅木槽，接住晃来晃去的火腿滴下的油脂，以免滴到下面喧嚷的客人身上。

菜单上写着，这家店的招牌菜是铁架烤肉。从实际情况来看，应该是说在像畜栅门般大的铁架上烤肉。烤架固定在一个巨大的火盆上，用树干那么粗的橄榄树枝在底下焖烧，再把热柴灰聚集起来炙烤。这个烧烤用的大炭炉占据了餐厅的一整个角落，由两个孔武有力的厨师打理着，他们忙碌的身影透过烤肉时不断溅出的火花隐约可见。

侍者在我们面前放了一碗常见的橄榄，一篮硬皮褐面包和一小碟胡椒，隔了一会儿又拿来一个陶罐装的特制红葡萄酒和一瓶矿泉水，瓶身上贴着令人渴意倍增的白雪皑皑的马略卡山的图片。

坐在我们四周的都是马略卡大家庭，有不少是四世同堂。他们正准备享用第一道菜。有些在一起享用必须挖食的蜗牛或辣味腌肠黑布丁，有些在家庭号大碗里面分食一块块毛肚，另一些则叉起橄榄油炸羊肝片和胡椒马铃薯丁。

“我还是觉得这地方有点怪。”艾莉说，神经质地四下张望。

这里的确把魔鬼的主题发挥得淋漓尽致。墙上装饰着魔鬼面具，酒吧一个阴暗角落的架子上放着个一米高的木雕魔鬼。这个雕像真是栩栩如生，那分趾的双脚腾跃着魔鬼的舞姿，蜘蛛般的手高举着，仿佛在挥舞一根看不见的棍棒，腹部突出，背后长着龙尾和一对蝙蝠翅膀，头上突出两只角，两眼嵌着微亮的电灯泡，散发着诡异的光芒，映照出丑恶脸上的狰狞表情。

艾莉被这个雕像吓坏了。

“放松，”我笑着劝她，“不过是一些当地民俗罢了。”

“你看那边墙壁上的浮雕画，”她抽了一口气，“背部都有打光，还有壁画的那些内容。”

“嗯，那是马略卡古老的宰猪派对。”我毫无兴趣地望了一眼，继续说，“画得很不错，不是吗？”

“真吓人！两个男人拿着刀，准备要杀绑在支架上的猪。你看！还有个女人提着木桶准备接猪血。”艾莉摇摇头，浑身哆嗦了一下，“让人看了以后，一辈子都不想再碰一口猪肉了。”

“别瞎想，那不过是在描绘宰猪季节的情景而已，在过去，这可是当地农场最大的年终节庆。听老玛丽亚说，现在还有些农场会举办。左邻右舍全部出动去帮忙宰猪、做香肠。然后大伙儿大吃一顿，晚上一起唱歌聊天。非常有趣。”

“那头猪可不会这么觉得。看看它脸上的表情，太悲惨了。”

“嗯，这倒是实话！”我大笑，“如果有人要割你的喉咙，你看起来也会一样悲惨。”我安慰地拍拍艾莉的手。“反正，这只不过是装饰而已，跟那些魔鬼木偶一样。来，吃颗橄榄。”

可是艾莉心神不定，根本没听进去我说的话。“魔鬼和死亡，”她嘀咕着，“我不喜欢这里的阴暗气氛。”

“别胡说！”我低声呵斥道，“这里不会比迪士尼乐园更邪恶！”

逼近的暴风雨使天空布满阴云，突然间光线暗下来，每样东西仿佛都蒙上了一层阴影。魔鬼面具和宰猪壁画背后散射的灯光强化了死亡的恐怖效果。在幽暗的光线下，腾跃的恶魔看起来更逼真了，恍若摆好姿势，随时准备跳起撒旦的吉格舞。这一切无疑给餐厅营造了一种诡异的气氛，但这种刻意造成的惊悚没有吓到人，反而给周围这些家庭甚至是最年轻的成员都带来了更多欢乐。

不出所料，我看到菜单上的菜品绝不是为吸引素食者而做的。就像马略卡大多数乡村餐厅一样，菜以猪肉和小羊肉为主。

本地的马略卡绵羊有一个有趣的现象，这里的母羊很少像北方较冷地区的绵羊那样，能够达到农夫希望的黄金生育目标——一胎两只。事实上，大自然使得此地的母羊也不肯生两只。在常年干旱的牧地上，一胎生一只贪吃的小羊已经足矣。不过对地中海沿岸地区的羊毛产量而言，马略卡母羊仍有办法。它虽然不能像北方表亲那样一胎生两只，却可以一年生两胎而不是一胎。各有千秋。一加一，还是等于二。

不管怎样，为了节省草料，也为了人类主人赋予羊乳的价值，许多马略卡乳羊注定年纪很小就会变成盘中美味——通常只有几周大而已。这对乳羊的生命而言虽是残酷的现实，但另外一方面，细嫩的乳羊还是成了脍炙人口的美味珍馐。这种肉跟英国饲养的传统“肥”羊肉截然不同，事实上，这种肉简直令马略卡人骄傲地吃上了瘾。

因此，看到隔壁桌端上了美味多汁的乳羊肋排，我们就毫不意外了。这道菜是给年轻人吃的。有些年长的则点了小羊腿——胫骨部分肉质软嫩的腿肉，烤得酥脆无比。还有人点了乡村口味的西班牙菜——烤乳猪。据说火候最适宜的情况下，这道菜肉质应该嫩得用盘子边就能切断了。每道菜都色、香、味俱全，令人食指大动。

艾莉看出了我的心意，对我摇摇头。这幅宰猪壁画显然害了我。看来这顿饭没肉可吃了。除非，我暗忖，我另外订个座位，自己一个人吃独食去。

屈服于现状，我只好点了两份“马略卡汤”。

“还有呢？”侍者问道，认定我们会遵照本地习俗，点这道汤作为前菜。

“不了，谢谢。”艾莉简洁地说，“我们只要汤就够了，谢谢你。”

侍者满不以为然的表情，让我不禁怀疑他可能在想，这对夫妇简直是点了汉堡却不要里面的烤肉排，不识货。老天，到“魔鬼之屋”来却不吃肉？他的表情好像在说：“哎呀，好家伙！”

这时，看着其他一桌又一桌吃得津津有味的肉食者，我忍不住同意侍者的看法。不过，马略卡看似单纯的乡下厨艺却像这个岛的风景一样，总是有办法变出最让人意想不到的惊奇美味。菜单上对汤的描述不过是“材料丰富的白菜浓汤”，本来很难会让人想象这是令人垂涎三尺的大师厨艺，结果证明我们完全错了。

当侍者在我们面前放了两陶罐冒着热气的浓稠物时，他费了好大力气向我们解释，不了解的人会以为点的是一道汤。侍者让我们放心，事实上，这道菜的名字让人误解，它指的是一种淡褐色的马略卡乡下口味面包，面包铺在汤盘底部，加上当季新鲜包菜、西红柿和洋葱，再慢慢熬煮，让面包吸收所有汤汁，留下仍然润滑的蔬菜叶在上面。

这个侍者用中指和大拇指圈成一个圆圈，向我比了一个手势，表示“味道棒极了！”。

他说得没错，这的确不是汤，而是浓稠得几乎可切块的蔬菜料理，其鲜美的味道必定是用精心调配的材料熬煮出来的，除了蔬菜本身的鲜味之外，似乎还用大量的肉熬成了高汤。我没吭声，艾莉应该心里有数，也一句话都没说，直到她喝完最后一滴汤汁，吞下最后一口浸了汤汁的面包。

“你看！”她用餐巾擦着嘴，发表胜利的宣言，“谁说非得杀动物才能吃一顿美味的饭？”

我点点头，像政客那样违心地表示同意，心里暗忖，我倒要看看是艾莉这个突发奇想的素食主义者先破戒，还是霍尔迪这个刚决心禁酒的人先投降，一定很有趣。

外面的天色已变得一片灰黑，开始下起雨来。不过暴风雨的压迫感至少已经降低了，艾莉的样子看起来放松多了。连喝几杯这家餐馆自制的浓烈葡萄酒之后，我整个人也一样松弛下来。

“你知道吗？艾莉，”我有点夸张地笑着说，“你差点弄得我也紧张起来，我是说你瞎扯的那些魔鬼、死亡之类的事情。你信不信，我本来也开始觉得这里有点怪怪的了。”我笑起来，又喝了一杯酒。“那些都是傻瓜才相信的天方夜谭。我该为自己感到惭愧。”

“我才不是傻瓜呢！”艾莉回嘴。

“得了吧，瞧你满脑子幻想出来的神话故事。承认吧，这种书的作者就是靠你这样容易受骗的读者来赚钱的。”我哼了一声表达自己的不屑，“全是骗人的！”

艾莉的嘴角浮起一丝微笑，背后有光的魔鬼面具映在她眼中，仿佛闪过一道恶作剧的光芒。“这么说，”她反问我，“你不相信有黑暗王子喽？”

“这个嘛，谁说我不信，亲爱的，”我仿效恐怖片演员低沉平板的声音，“我相信有鬼，就像我相信有圣诞老人一样。”

这时艾莉的眼光掠到我的背后，脸上的笑容一下子不见了。她被人催眠似的盯着我背后的什么人，或什么东西。在我视线之外的某处，有个小孩突然惊叫，令人血液都为之凝结，然后一声恐怖的狞笑在蓦然寂静的餐厅里回响起来。我觉得背后汗毛倒竖，这时一道炫目的闪电打在餐厅外面的地上，接着立刻响起轰轰的雷声。灯光闪烁几下后全部熄灭，室内几乎完全陷入黑暗之中。

一阵诡异的寂静中，什么东西碰了我的肩膀。某种尖锐、冰冷……不祥的东西。我的脊椎一阵寒栗，鸡皮疙瘩全起来了。我直觉地跳着转了个身，心脏怦怦地都快跳出来了，想要面对面看看到底是什么人或什么东西碰了我一下。

“哇！”我号叫起来，简直认不出是自己的声音。

是他！就站在我前面，长着角的巨大的头蚀刻出僵硬的剪影，背后是烤肉架喷溅的火花。四周一片死寂，只听得到他的喘息声和炭火愤怒的嘶嘶声。我看见他正用燃烧般的闪烁目光瞪着我。

又是一声轰隆雷响撼动了房屋，身后的艾莉吓得抽噎了。在断断续续的闪电亮光中，我瞥见了碰触我肩膀的东西，一支握在恶魔活生生的多毛右手中看来很邪恶的三叉戟正直指我的胸口。我的脑子告诉自己要理性，不要让艾莉荒谬的想法得逞，可我的双脚却不听话，立刻闪到旁边，结果被椅子腿绊倒，在地板上挣扎着爬起来。等到灯光再度亮起时，我才发现自己正好坐在整个餐厅最有分量的女士的腿上，正是我之前在酒吧不小心摸到胸口（纽扣）的那一位。

恶魔带头跟着周围的客人一起爆出大笑，我看见艾莉也加入欢笑的人群中，正在擦拭眼角笑出来的眼泪。而到前面来想凑近看热闹的孩子们更是乐疯了。直到这时我才注意到，打扮逼真的恶魔握着的长戟叉上挂着一叠彩票。

“噢——啦啦！”挤眉弄眼的法棍妇人在我耳边诱惑地喘着气，我则一边道歉，一边面红耳赤地挣扎着从她怀中站起来。

“女士，真是太抱歉了！”我不住地说。

“我很荣幸！”她柔情蜜意地回答，在我好不容易挣脱时，好玩儿似的在我屁股上拍了一下。她向我保证：“这是我的荣幸……而且是第二次了！”

— 4 —

高贵的小偷

等我们终于心满意足地离开“魔鬼之屋”时，赶回帕尔马的车子早已大排长龙了。酒足饭饱的司机们载着满车家人回家，形成一条稳定而快速的车流，很多司机都用斗牛士般的勇猛精神展示自己高于旁人的精湛车技。除非你很有兴趣用四轮铁牛与别人斗个你死我活，否则在星期天午饭后这种时刻，最好早早驶离马略卡主干道！这正是我们离开餐馆才几百米就很庆幸做了的事。

向北转入一条安静的乡间小路，沿着路边石墙驶去，两旁是经人细心照料的田野，羊群在一排排整齐的杏树下吃草，在一个月前脱落了满树的“雪花”之后，杏树如今全是新鲜的绿叶。暴风雨已经离去，此时只听到远处隐约的雷声，眼前是寂静的圣欧亨尼娅村，石屋在蜜蜂柔和的鸣声中再度闪耀起春日光芒。道路略微偏西后，左面隆起了马龙“山脉”，松林遍布在平缓的山坡上，高低起伏的山中隐藏着山洞。据说以前海盗会把战利品藏于此地，由于地处内陆，这里可避开其他海盗贪婪的眼睛。

然而，如今这里已看不到黑暗历史的痕迹了，在马略卡变化无穷的景观中，这一带堪称最温和的一种，顶多只有仙人果米老鼠般的头部会从花园墙壁伸出头来偷窥而已。这种乡间景色会流露出一种幽静的假象，让人以为这里几世纪以来从未改变，直到一架喷气式客机从头顶呼啸而过，也许是刚起飞或即将降落在帕尔马机场的。这时我们又回到岛上的中央平原，只不过比我们离开时偏北几英里。

休耕的田野上已冒出了罂粟花和金盏花芽，入夏前这块地就会万紫千红，像西班牙国旗一样。紧接着景色又转换成一英里接一英里的茂盛葡萄园，铺天盖地朝风景如画的古老酒城圣玛丽亚蔓延过去。转向南方，隆起的帕尔马城热闹的城郊在午后的阳光下闪耀着，仿佛一座立体的伸展雕像，虽然只有几英里之遥，却与我们此刻正经过的田园风景恍若隔世。

由帕尔马辐射出如手指般的主要公路，彼此之间有许多乡镇和村庄，拉雷亚尔就是这样一种典型城镇。它是旧日沿干道带状发展的单调样本，这条干道向北通往历史悠久的山城巴尔德莫萨，作曲家肖邦和他的情人、小说家乔治·桑曾经在此共度了一个于法不容却史有详载的冬天。但今天我们却不是为了这么有文化气息或浪漫的事情，而是为了足球而来——在平淡的周日下午，这件事对西班牙男人来说可重要得多。

离得老远就听到球场传来的欢声笑语，我们本能地找到挤在拉雷亚尔路边一排建筑物后面的运动场，四周围着加顶盖的围墙。我们发现，围墙虽高，但还没高到阻止当地男孩爬进去看免费球赛的地步。这一场是东道主队和邻岛伊维萨岛代表队的比赛，看台上坐满了球迷，都在呐喊，为崇拜的英雄加油，给输家喝倒彩。不过看起来还不错，两边的支持者都没有太过疯狂。

“我在场上没看到森迪。”艾莉担心地说，“希望他没受伤！你看，球场的场地不是草地，只铺了坚硬的页岩之类的东西！天哪，在上面摔跤一定会给擦掉一层皮！”

“这里所有的小联盟球场都是这样的。”我说，“脚下当心，没有别的办法。”

不一会儿，一个东道主队球员来了个铲球，结果正如艾莉所预测的，那人左腿大约扯下一英亩[1]的皮贴在场地上。裁判判他犯规，更使他受伤且受辱，这让客队球迷兴高采烈。

“婊子养的！”他们对他高吼。

东道主队拥护者则对他大加赞扬。

“小子有种！”他们大喊。接下来叫嚣的是，当然了，全

---

1 1英亩约合4 046.86平方米。此处为夸张。

世界都一样："裁判是蠢货！"

这个小运动场的确充满了愉快的足球气氛。

很快，我们找到了查理，他把汉堡包的钱花完了，现在"想喝罐可乐都想死了"。

我伸手到口袋里掏了几枚硬币给他。

查理瞧了一下手掌心。"咦，多谢啦。"他嘀咕着，然后狠狠拍了我肩膀一下。"你知道吗？"他咧嘴笑笑，"施恩加倍，福气加倍。"

"查理，别闹了！森迪在哪里？被判出局了还是怎么回事？"

"不是，他没首发出场。因为拉雷亚尔队的三个顶尖球员伤愈后都归队了，所以……"他指了一下入口处旁边一间敞开的棚屋，"森迪在球员休息区。"

我难以置信地指指查理说的地方："可是……可是，那是一间酒吧！"

"酒吧、球员休息区、男厕所。"查理耸耸肩，"随你怎么说，反正就是那里。"

"我非得去看看不可！"

森迪正站在一群高谈阔论的中年男人中间，相比足球场上的比赛，这群人很明显对在酒吧里谈天说地有兴趣多了。下半场的比赛早已开始，可是从森迪身旁这群红光满面、快活无比的伙伴的表情看来，过去这一个小时左右，他们研究手中酒杯的时间应该比观看足球的时间多得多。我还偷偷注意到，那个快活的吧台酒保穿着深蓝色市警制服——这种西班牙最新的警察模样让人回想起英国老式的乡下警察大叔，真有趣。

森迪把我们介绍给他的那帮伙伴——加夫列尔、托梅乌、帕乌和佩雷，他们全都对我用力地握手、郑重地拍肩，对艾莉则礼貌地微微鞠躬，不仅为了表示不一般的拉丁式礼貌，也趁机表现拉丁民族对女性大献殷勤的那一套。

“很荣幸，女士！”这是普通寒暄。“嗯……真迷人！”艾莉被灌了迷魂汤。

“我……我希望你没有喝酒，森迪！”她低声说，面对此起彼伏戏弄式的奉承，艾莉想掩饰她的尴尬。

“我只喝七喜，”森迪举起他的杯子笑着说，“我还要开车呢，记得吧？”

不知道是加夫列尔还是佩雷谁塞了一罐啤酒给我，男子气概地在我的二头肌上捶了一拳，伴以马略卡的敬酒词：“为了健康、财富和爱！”

艾莉在接受了习俗性的奉承之后，现在又被奉承者习俗性地冷落了，他们高谈阔论的主题又回到男性喜欢的足球和政治议题上（至少目前是这样）。

“要喝点什么吗？”我问她，知道像这样闯入一个典型的西班牙粗野男性大本营，实在不合她的胃口。

外面球队上突然传来拉雷亚尔球迷对裁判的一阵叫骂，有点被吓到的艾莉无精打采地点了一杯咖啡，“噢，如果有的话，我还要一副耳塞！”

东道主队球迷又传来一阵吼声，连森迪那一伙实在没多大兴趣的同伴都挤过去看，挥舞着手开心地吼叫着。加夫列尔（还是帕乌？）抓着我的手肘把我拖到酒吧那边骚动的人群里去，剩下艾莉留在女人和孩子待的地方。

“这些人就是这个样子！”满脸发亮的森迪在骚乱中高声对我喊道，“他们都是球员的老爸、叔伯，反正都是家人就对了。你知道这些村子里的情况，所有人都沾亲带故的。”

“为什么酒吧会忽然这样骚动起来？”

“这是他们的老规矩。每次只要拉雷亚尔球队射门得分，这些老家伙就会给自己叫一杯白兰地以资庆祝。每次球赛都这样。”

我瞄了一眼计分板，果然不出我所料。“零比零。”没人得分。我嘲弄地看着森迪。“看这些老爸、叔伯醉醺醺的模样，我还以为孩子们至少已经得了七八分了。”

森迪无所谓地耸耸肩。“是啊，我想这也是一种规矩。一直还没有人得分。”

“所以？”

“所以这伙人就执行了所谓的第二协定，只要每次拉雷亚尔队踢一个角球，他们就来一杯白兰地。”

“可是，依我看到的，除非我的眼睛有问题，刚才踢的并不是角球，只是发了个边线球而已！”

森迪苦笑了一下。“我说过了，这都是他们的规矩。”

“今天的第三协定，对不对？”

森迪点点头表示“你说对了”。

这时有人用手肘碰碰我，要我到酒吧柜台去，那个警察酒保站在吧台里面，笑着把一个球形酒杯塞到我手里，大方地倒了一大杯芬达多白兰地给我，然后给自己也倒了一杯，与我举杯庆贺。

“祝你健康，朋友！”他友善地干杯。

“谢谢。”我迟疑着不知该如何回应，一个放下保卫职责、我不认识的警察称我为“朋友”，更何况他还穿着制服一边喝酒，一边卖酒。“谢谢，干杯……呃，朋友！”我转身低声问森迪：“他又是怎么回事？”

“噢，只不过像其他老爸、叔伯一样，轮到他在吧台里当班而已。”

“所以他已经下班了，是吗？这就另当别论了。”我向这位警员举起酒杯，给他一个热情的笑容：“祝你健康，朋友！”

可是森迪立刻纠正我无知的误解：“不是这样的，他还在执勤。可是这里的球赛从来没有真正需要警察做的事。”他很坚决地又加了一句，“这里从来没有英国那种足球流氓。”

就在此时，球场另一端的观众突然喧哗起来，裁判疯狂的吹哨声又掀起一阵高潮。好像东道主队不久前刚犯规的那个球员又被判了一次犯规，结果客队球迷中那些十几岁的女孩真的让他很不好过。

“下流的禽兽！出局！出局！出局！”她们尖叫着，掷了几个吸干了的橘子瓣之类的东西过去。

一片叫嚣声中，勇敢忍受辱骂的年轻人忽然做了个极端侮辱性的动作，他拉下运动短裤，弯下身把赤裸的屁股一览无余地对着辱骂他的观众。看台上爆出震耳欲聋的欢呼声，裁判再度举起黄牌，接着又自动举起了红牌。拉雷亚尔队那个光屁股的无赖，被判带着他的光屁股，以及他的睾丸，提前去冲个澡。

那些开心的女性施虐者对他嘶吼着我以为的伊维萨方言。可是一片喧嚣中，我渐渐听出一些像是“可爱的”、“臀部”以及（我认为我没听清）颇有诗意的句子：“紧得像受冻蚌壳的脸颊！”不管怎样，这个睾丸男孩回报以昂扬的姿态，拉上他的裤子，在一片嘘声、嘶声、狼嚎声、欢笑声中，一步步走上了冲澡之路。

酒吧这帮人不需讨论就快乐地执行了第四协定。

“这是当然啦！”穿制服的倒酒人快活地说，“足球迷万岁，耶！”

艾莉最先注意到大门是开着的。

“我们离开时你的确锁上了大门，是不是？”

“嗯，我可以发誓。”

“没错，你确实锁了。我看着你锁的！”

我们把车驶进“市长府邸”的院子时，我感到一阵恐慌。然后，我们看到了眼前的景象：通往大储藏室的双扇门有一扇微开着，储藏室是一楼面积最大的部分，门锁旁的木头被粗鲁地劈裂了。艾莉甚至在我还没拉手刹时就下了车，向房子直冲过去。

“等一下！”我在后面叫，“等一下，艾莉！他们可能还在里面！”

跟在我们后面从球场开车回来的两个男孩抵达庭院时，正好看到他们的母亲奔进屋里。二话不说，我们三个就跟在她后面冲了进去，肾上腺素陡升。我们本能地从储藏室墙壁挂钩上抓了一些替代性武器——森迪拿的是花园锹的破柄，查理和我各拿了一柄铁锤。到处都看不到艾莉，但是我听得到她踩在楼上瓷砖地板上的脚步声，从一个房间跑到另一个房间。小偷很可能还在屋子里，我打心底里担心她的安全。

我们每个人都是头一次遭遇这种情况，奇怪的是我们应变的冲动都一样——一样有勇无谋。我想大多数人都会假设，一旦面临这种危险情况，我们都会表现得很理性，完全了解入室盗窃者很可能持有武器，为了逃走很可能不顾后果采取非常行动，所以千万不能轻举妄动，应该立刻打电话报警，寻求救援，最忌讳的就是冒着生命危险和入侵者发生冲突。

然而，实际情况发生时完全不是这么回事。理性思考没有发挥作用。艾莉没有据此行事，两个男孩和我也没有。艾莉看到大门被推开时，她的直觉反应是立刻进屋看看，究竟她的房子、她的家人的家出了什么事。男孩和我只想保护她免于陷入危险。

只花了一秒钟，我就看出楼下起居室的每个橱柜和抽屉都被打开乱翻过，森迪和查理已经奔上楼，大声叫他们母亲回来了。我跟在他们后面，刚开始意识到被入室盗窃的那种震惊，现在已经变成一种受伤和愤怒混合的情绪。这些人是谁，竟敢闯进我们家，厚颜无耻地乱翻我们私人的东西，好像他们有权这么做似的？如今回想起来，我后怕地发现当时我们很可能面对面碰到那些抢劫者。那时理性思考一点都没发挥作用，结果很可能演变成流血事件，而对我们这种普通、和平的家庭，通常是不会选择武力相向的。

现在想起来很幸运，这种吓人的场面并没有发生。当男孩们查看楼上其他房间时，我在走廊尽头我们的卧室里找到了艾莉，她正低头望着床上，脸上露出难以置信的震惊表情。

“他们全拿走了！”她说，声音颤抖着，“只剩下这些。”

我低头看着剩下的三件首饰几乎邪恶地在床单上整齐地一字排开。

“便宜的小首饰。只剩下些不值钱的小玩意儿。”她解释着，整个人还有点愣愣的，“可是他们把所有值钱的都偷走了！”她摇摇头，然后望着我，眼眶里泪水打着转。“想想看，”她说，挤出一个微笑，伸出她的左手让我看，“多少日子出门我都会戴着结婚戒指，偏偏今天没戴！”她走向两个衣柜和两个五斗橱，它们全都被打开了，里面的东西被翻遍了。“他们知道自己要什么，该在哪里找。他们是惯犯！”

“每个房间都一样！”森迪喘着气冲进来告诉我们。

“对，每样东西都被翻过！”查理气喘吁吁，“连我小时候保存到现在的迪士尼录影带箱子都没放过！”

我们四个人默默无言地站了一会儿，事情的严重性逐渐浮现。刚开始因为肾上腺素激增，我们做出当下反应，现在冲动很快消退了，我们只冷酷地发现这一切并不只是个噩梦而已。这是真的，而且发生在我们身上。开始的报复性愤怒，转变成一种受辱般的感受。匆匆奔回家，却无可挽回地发现陌生人的手已经侵犯了神圣的家，肆无忌惮地摸索过我们的私人物品。

“这种事很奇怪，简直让人有一种被侮辱的感觉。”艾莉喃喃自语。

我想很难找出一种直截了当的方式来表达我们此刻的感受。

“顺便告诉你，爸，他们已经走了，”森迪静静地说，“查理和我把整个房子都检查过了。”

天哪！我一直记挂艾莉的安全，却忽略了孩子们，竟让他们去面对撞上歹徒的危险。我既后悔又松了一口气，只能拍拍他们的背以示感谢，这时我吓昏了的脑袋才终于明白我们是多么幸运。房子遭人洗劫，首饰或其他东西被偷，这些都是我们现在已无法改变的事实。但最重要的一点是我们毫发无伤。物质的损失与这一点相比，忽然显得微不足道了——至少这一刻的感觉如此。

为了表现勇敢的样子给孩子们看，艾莉开始收拾衣柜抽屉里凌乱不堪的衣物。

我抓住她的手臂。“不要，艾莉！不要碰这些东西！在警察来之前，什么都别碰！”

我想，直到这时候，我们身陷的处境才对艾莉造成了全面的无情冲击。刚发现整个事情时的震惊已经够受了，但那还只是我们隐私受到侵犯的开始，现在她意识到，甚至不能在自家整理房间，这种苦涩就更难受了。

“好吧，那……我到其他房间去看看就好。”她说，经过孩子身边时，努力想挤出一点眼睛湿润的笑容，“没什么，我只是想看看丢了什么东西。”

“你们去陪陪妈妈，”我说，“她需要一点精神支持。我去查警局的电话号码，报告一下这整个该死的恐怖事件。”

这时我忽然想到自己的西班牙语是多么不够用。不错，有关农业方面的词汇我还应付得过去。可是，天哪，我连抢劫这个词怎么说都不知道，更别提珠宝首饰之类了。现在再去把这些词句查出来太浪费时间了。在这种紧急时刻，有个可以打电话求救的朋友倒是不错。就这么办！我拿起电话，拨给一个西班牙语和马略卡语都溜得像本地人一样的朋友。

“别担心，老弟！”乔克·彭斯在电话那头镇定地说，“我马上打给安德拉奇派出所，然后就去你那里。老弟，别急，保持冷静，等我赶去，好吗？”

保持冷静！说得没错，也是一片好意，可是说得比做得容易！我放下听筒，这才注意到自己的手抖得多厉害。“魔鬼之屋”的葡萄酒和足球赛的白兰地所带来的微醺效果，已经被突发事件彻底一扫而空，可是，我现在一点都不想喝杯酒来镇定心神。最重要的就是要让头脑清楚，好应付接下来的事情，这一点我心里有数。

虽然乔克只花了二十几分钟，就从好几英里外开车赶到了“市长府邸”，但这段时间已经够我们把整个抢劫事件理出个头绪来了。其实艾莉进入卧室才几秒钟就心下了然，知道小偷找到了他们要的东西，而且他们像导弹一样早就锁定了目标。一向谨慎的艾莉把一些值钱的东西藏在几个不同的地方，例如衣柜的长筒靴里。然而就目前所知的损失看来，藏在不同地方对一般人也许管用，对珠宝小偷却一点用也没有。

迹象显示盗贼在东西得手之后，花了些时间把所有首饰都摊在床上，把能卖的从中间挑出来。为什么他们不干脆把所有东西都倒进袋子里，先迅速逃走再去费心思想赃物如何脱手呢？也许他们是冷静而老练的罪犯？或者只是出于过度自信的傲慢？我们希望很快就能弄清楚。

然而有一件事已经很确定，就是艾莉很快就知道她的戒指、项链、手镯、胸针，每一件值钱的珠宝都被拿走了。虽然从来没有算过总共有多少，但这些东西都是她多年来小心节省保存下来的，而且品质良好。此外，比金钱损失更糟的，是有些东西的纪念价值是无可取代的，想到它们就这么消失无踪，也许永远都找不回来了，真是让人伤心。譬如艾莉的结婚戒指；一个小盒子里面的我们五岁就过世的儿子的相片；一副我祖父给我的金表和金链（纯粹是我的私人珍藏），包括一块祖父在奥克尼老家驾马犁田比赛赢得的小奖牌，可说是传了三代的纪念品。即使其他珠宝永远下落不明，我们祈祷这些纪念品能够找回来。

“小事情。”乔克说。在我们等警察来的时候，他跟我很快巡视了一遍房子。“呃，我要为那些窃贼讲句话！其实他们大可以把这里搞得更惨的，不知道我这么说有没有让你感到安慰点。”

当然，在这种节骨眼上说这种话是安慰不了谁的。可是我了解乔克的意思，因为虽然没有一个角落或缝隙没被闯入者翻过，却没有东西被恣意毁损破坏，甚至碗橱或衣柜抽屉里的东西都没有被肆意搞乱，一直到小偷进了主卧室，也就是眼看战利品即将到手，他们才情不自禁发狂似的翻箱倒柜起来。

“除了珠宝，”乔克问，“还有别的损失吗？”

我摇摇头。“到目前为止还没有发现。电视机还在，录影机也在，音响设备、书、钟，一样都没少。没有。看来他们在找一样东西，而且只要这样东西。”

“所以说情况本来可以更惨的，老弟。别误会我的意思。这对你们来说是个灾难。毫无疑问。但是，了解我的意思吗？可以更惨的，嗯？”

我了解乔克的用意，他是在尽可能降低这个痛苦事件对我们的打击。像他这么外向的人，却忸怩笨拙地想让我们觉得好过些，不仅显示出他真正关心，也展露了他平时隐藏的诚恳的一面。

我对他会心地笑笑，“乔克，说得对，没更惨就不错了。来吧，我们去看看你打电话找的警察来了没有。”

几乎等了一个小时，天都黑了，漆着醒目双色的雷诺四驱警车才驶进院子里。我们本来期待会看到一车警探和法警之类的专家出现，结果却只看到一个警员在车里，而且并没有穿威严的警察通常会穿的那种深绿色制服，而是一身松松垮垮的运动衣和白色破运动鞋。看来，他对来这一趟也并不是很高兴。

他的第一句话是：正式说来，他今天本来是不上班的，然后他顿了一下，慢慢踱进屋时不经意瞄了一眼储藏室被弄坏的门缘。接着他面无表情地告诉我们，他本来是在跟妻儿打网球的——这是两个月来他第一个能陪家人一起过的星期天。可是他是本区负责抢劫案的警员，所以必须赶回来调查这个案子。"不管是不是已经下班了。"他直率地加了一句。

"说英语吗？"我问他。

他没回答我的问题，但是他看我的眼光很清楚地表示，这里是西班牙，他是西班牙警察局的公务员，这里只有一种语言可说，我们必须努力配合。我心里默默承认，这很公平。毕竟，说良心话，如果我们是个西班牙家庭，在英国碰到了这种倒霉事，能分派到一个会说西班牙语的警察来处理大概也是做梦。

"自大的家伙！"乔克一面对警察堆着笑脸，一面用英语对我说，"一定是内陆来的西班牙人，这在岛上很多。很可能是南方人。都是些暴发户。"

这位警察的表情始终令人难以揣度。我们无助地枯坐在这里等执法人员来，已经整整两个小时了，现在我们忍不住沮丧地想，那帮盗贼会不会抢先一步跑远了？可是对这件事，这位警察似乎不慌不忙。他无动于衷地要求乔克和我陪同他巡视一趟房子。至于我太太和我们的两个儿子，暂时并不需要。

"就这样吗？"我低声在乔克耳边吼，简直不能相信逐渐明朗的事实，“只有一个警察！我是说，检验指纹的人呢？谁会去问问邻居，到村子里到处看看，打听打听消息？一定有人看到过什么！照这种办案速度，调查还没开始呢，罪犯早已经逃离这个岛了！”

乔克把这些问题逐一帮我用西班牙语转述了，得到的反应却只是一连串耸耸肩，表示“要不要随你”。而且，这个警察对所有的证据似乎都只有最表面的兴趣，直到抵达主卧室，那时我们已经告诉他所有值钱物品都藏在这里了。虽然我心情很急躁，但在我看来他花了异乎寻常长的时间来仔细检查艾莉的长筒皮靴（我好像看到他嘴角闪出一个轻蔑的微笑？）。最后他终于看了我们一眼，皮笑肉不笑地说，调查已经完成了。

“他在开哪门子玩笑！”我对乔克咬耳朵，“那些小偷呢？问问他等他离开这里后，谁会去追那些该死的小偷。”

执法者对乔克翻译的唯一答复是，他要求看看失物保险单，然后他要回储藏室向男主人及他家人最后讲几句话。

如果说这一切令我无言以对，那么，再听听他到此仅十五分钟后的临别致辞，就更让人瞠目结舌了。

“女士和先生们，我很荣幸通知你们，”他用字正腔圆的英语宣布，“我要很满意地说，这里的确发生了一桩抢劫案。”接着，他转向乔克，满脸堆着笑容，“对一个暴发户来说不算太坏，是不是，彭斯先生？”

现在换成乔克无言以对了——我从没看过这种场面！从今天起，要是他惹毛了安德拉奇的警察分局，可要倒大霉了！

然后这位警察又正色对我说："请你带着家人，在一个小时内到我办公室来，这段时间内我会写好报告，这样整个事情就能让大家都满意了。"我大张着嘴巴，他和我握了握手，然后是和艾莉，并顺口加了一句："女士，发生这种不幸的事，我深表同情。"他又不经意地指了一下那条长凳，上面放着我和男孩随手拿来当自卫武器的工具，"同时请容许我说，"他官腔十足，"你们应该觉得很幸运，没有伤害歹徒，否则此刻要去监狱的不是他们，而是你们了。"于是他双脚一并，磕了一下运动鞋的后跟，行了个礼，礼貌地说了句"待会儿见"，就走了。

"他妈的！"乔克破口大骂，"对不起，亲爱的艾莉，我讲粗话了，可是那个警察实在太混蛋了！说什么这里的确发生了抢劫案！把歹徒关进监狱？拜托，少来了！就像你说的，根本没人想搞清楚那帮歹徒在哪里！"

"更别提搞清楚他们是谁了！"森迪冒出一句话。

"嘿，说不定这些蠢警察和小偷是一伙儿的！"查理猜测，兴奋地觉得这种可能性并不是没有。

我本来想说我自己也这样猜疑过，可是我注意到艾莉已经很不寻常地安静了好一阵子了。"你还好吧？"我问她，然后马上意识到这么问有多愚蠢。她当然不好。没人觉得好。

即使平时聒噪的乔克这一刻也说不出什么话来，好像有一朵乌云笼罩在我们头上。我们在那里站了一会儿，凝视着储藏室大门毁损的木头，沉默地各自想着心事。

警察分局位于安德拉奇巷弄里一个不起眼的角落。我们被带进一个昏暗的小房间，里面很朴素，只有一张木桌，散放了几把椅脚细长、可折叠的椅子。天花板上垂下来一个没有灯罩的电灯泡，微弱的光线照在长年被雪茄和香烟熏得发黄的光秃秃的墙壁上，你很容易想象有个可怜的嫌疑犯缩坐在桌边，连续几个小时接受无情的审讯。整个房间散发出一种厄运和绝望的气氛。

时间一分一秒过去了，我们没有一个人开口说话，然后一个无精打采的值班班长走过来，直截了当地告诉我们，我们必须再等一等，等到抢劫报告打字完成，才能让他的主管过目。所以女士和先生们，他喃喃抱怨说，应该在等待期间设法让自己舒服一点。

“舒服？”班长走了以后，乔克嗤之以鼻地说道，“舒服？太痴心妄想了吧？”

没人接着发表言论，沉默再度降临到我们这一小群人身上。

不用问，艾莉和孩子们的脸色已经告诉我，这时候他们宁愿身在其他任何地方，都比待在这个阴暗的房间好。我想，他们现在最希望的是回到苏格兰老家，置身朋友、亲人和熟悉的事物中间。我完全了解他们的感受。当然，自从在岛上开始新生活以来，我们已经接受过一些可预期的打击，但还没有什么事像此刻一样，真正引起如此强烈的思乡之情。我们遭遇的抢劫和接下来的这些事情，如果发生在一个马略卡本地家庭里虽然也没什么不同，但我们仍然情不自禁地产生缺少归属感的失落。我们是容易受骗的梦想家，终于坠入了噩梦之中……而且是在别人的土地上。

艾莉终于打破了令人沮丧的沉默，表示我们不仅有刚开始那种受伤和被无理侵犯的感觉，后来我们也寒心地意识到，事实上，一定有人看着我们离开房子，我们的行动早就受到不明人士的监视，他们伺机而动，最后终于逮到了我们全家同时离开农庄的难得的机会。

不道德的猜疑开始偷偷潜进我们心里。会不会是我们的邻居？不可能，老玛丽亚、佩普或豪梅绝不可能做这种事情，他们表达的善意早已超过了他们该做的，并且一直全力帮助我们在这个社区里安顿下来。甚至狡猾的费雷尔夫妇也不该受到这种怀疑，尽管他们在别的方面是很吝啬。

那么，会是谁呢？谁会知道有个外国家庭近来搬进了“市长府邸”（对有些人来说，所有的外国家庭都是富有的）？谁对我们和我们的房子了如指掌，计划出这么干净利落的抢劫行动？答案是任何人都有可能。譬如说村子里住在小巷另一头的任何人，也许是个固定来街头漫步的人，或是到我们家来做过工的工人，也可能是伐木工人、邮差、面包店的货车司机，上百个当地人之一。也有可能根本是从外地来的人，譬如那种有组织的城市骗子，他们可以到很远的地方，从乡村酒吧之类的聊天场合探听消息。这种事谁也不知道。我们唯一知道的是在这个小房间待得越久，不去侦查，找出真相的机会就越渺茫。

半小时后，制服洁白无瑕的分局警长大步走进来，带了一些文件。没有任何繁文缛节，他拉了把椅子坐到桌前，告诉我们这就是受理警官的调查报告，用西班牙文写的，一式三份——一份警察分局存档，一份给我们的保险公司，一份给我们自己。我们必须三份都签名。但是首先，他必须把报告念给我们听，同时在这段时间里，我们必须把所有失窃的物品都画出来。

"天晓得该怎么把一条扁链的项链画得跟圆链的项链不一样！"艾莉问我，露出难以置信的神情，"还有，怎么把一只钻戒画得跟其他千万只钻戒不同呢？说真的，这简直是荒谬！"

警长带着训诫的神色对她皱皱眉。"女士，真正荒谬的是，"他用英语回应，"你收集了这么多值钱的珠宝，却没有事先预防，一样样拍照，以便在这种情况下作为指认之用。"

他转向乔克：“还有，先生，我知道在我念这份报告时你会担任翻译。”我正忍不住想大声问他，为什么不直接用英语念就行了，他却向我们所有人宣告说，根据职责，他必须用这个国家的语言解释这份报告的内容，而且为了我们自己的利益，我们必须在签字前，自行设法了解每一个细节。

告诫得有理，我们谦卑地点头默认，于是艾莉开始画一个个圆圈，有些有搭扣，有些没有。至少她知道怎样把项链画得跟戒指不一样！

这份报告记录得非常详细，我们对写报告的那位穿运动服的警察原本心存偏见，认为他检查房子太过粗略，现在这个偏见已荡然无存。他详细描述我们做了哪些安全预防措施，以及我们没有做的，一样都没遗漏。首先，储藏室大门的弹簧锁根本不管用，闯入者只做了最轻微的破坏就是证明。很明显，他们根本没费多大困难就进入了住所。接着报告详列了一长串我们这方的安全疏忽，最后特别严厉地批评道，艾莉把贵重物品藏在非常明显的地方：长筒靴的脚趾部位，这地方连最外行的小偷也会第一个下手！

我们完全无言以对。现在既然有人指出来，至少我们必须承认自己过去是有点天真。然而这是老生常谈了——不等到天塌下来，人们根本想不到这些事情。这就是我们的写照，除了原来的受害和失落感之外，现在又混杂了罪恶感。

“可是为什么没有在报案之后马上采取行动，追缉窃贼呢？”当警长好不容易念完报告后，我问他。

“先生，因为我们完全不知道要追缉的是什么样的失窃物品。”他瞅了眼艾莉勇气可嘉却毫无帮助的作品，然后敌意尽消地笑着说，“现在，我们知道了。”

即使是艾莉也无法抗拒这样一个灿烂的笑容。她完全了解自己的艺术努力其实只是徒劳，但是谁让我们没有拍照存证呢？罪恶感又来了。

可是，我又恼怒地问，为什么负责调查的警察在检查房屋后，不客气地表示说，他很满意的确发生了抢劫案。“这句话有点不合适，不是吗？”

警长拿起一份报告副本。“这是为你的保险公司写的，先生。他们一定不会认为我属下的报告不客气。”

真相终于大白。“你……你是说，他真的怀疑过我们捏造入室抢劫，只为了……”

“只为了欺骗你的保险公司？完全正确。根据经验，这个原因在这类案子里一向排名第一位——家庭保险欺诈，先生，实在是很常见的案例。”

短短几小时内，我第二次震惊得目瞪口呆。真正的歹徒还在设法逃逸，我们自己却成了抢劫自己的头号嫌犯！

“唉，这里是西班牙，老弟！”我们终于离开警察分局后，乔克说，“事情就是这样子。噢，别忘了，警长说过，那些外地人，也就是像你我这种异乡客，正是这种诈骗保险费案最常见的坏蛋。”他同情地眨了眨眼。“这种话听几次就不在乎了，根本不用放在心上，知道我的意思吗？”

我们挤成一堆，站在分局外面孤寂街灯的微弱光线下，筋疲力尽、头昏脑涨，无法恰当回应乔克的善意，好使失望的心情振作起来。尤其是艾莉，一副放弃希望的样子。

“你跟我说实话，”她问乔克，“你认为警察有没有可能把我们的东西找回来？”

“亲爱的，在马略卡，任何事都可能。”他耸耸肩，“任何事都可能，在马略卡。”

然而在内心深处，我们都知道再也看不到那些失窃的东西了。甚至警察局的警长都已警告我们，这类盗窃案在捉到窃贼之前，珠宝大概都已销赃，熔解再制，甚至走私外岛了。当下我们觉得他这种态度似乎有点悲观主义，但仔细想想，这个人只不过是在陈述事实罢了。成千上万的人每天搭飞机或乘船进出马略卡，除非当场逮到，否则捉到这些窃贼的概率几乎等于大海捞针。但是他向我们保证他的警员会尽力而为，而且会请我们到帕尔马警察总局看看定期举办的失窃珠宝指认展览。

离开警局时，我们深刻认识到，如果我们没有保过险，调查行动很可能会比较积极。但是因为我们的确有保险赔偿，警察就心照不宣地认为，抢劫案更多是我们跟保险公司之间的事，而不必加重原本就“已经人力不足”的警力负担。

我们也上了几堂代价极高的课。第一，不要在门上装不管用的锁，让小人容易闯入。第二，买个保险柜。这是保险公司的指示。在一场坚持不懈的斗争之后，保险公司虽然吐出了一点赔偿金，但自此以后，由于我们有“很差的安全记录”，所以他们只赔偿锁在保险柜里的珠宝，当珠宝因佩戴而取出时，即不列入有效保险范围。当然，这是很愚蠢的事，但以后我们却不得不伴随这样的规定生活。

抢劫的消息很快就像野火般在附近传开，住得近的邻居全都登门拜访，献上他们最真心的同情……顺便亲眼看一下破门而入的证据，检查毁损的木头同时狠狠咒骂一番。对他们这么老实的乡下人来说，发生这种可怕的事简直令他们感到羞愧，尤其是发生在从大老远跑到他们山谷来生活的人身上。

“垃圾！”这是老佩普对抢匪的形容，而且他们一定是内陆西班牙人！如果是他在治理这个国家，这些吸毒的垃圾一定要捉去施以绞刑！现在对罪犯太宽松了，这就是现代政府的问题。“垃圾！”在他那个年代，人们甚至不会想到要锁门。可是现在？“干，可别把我惹火了！”

“你需要一条狗。”这是老玛丽亚的忠告。

这一回，我很同意她的看法。我向她保证，一有空我马上就会去找一条。我说真的。

一两天后，我和艾莉逛完超市，到佩格拉的钢琴酒吧享受一顿经济实惠的每日特餐。听了我们不幸被入室抢劫的故事，热情的酒吧女老板吓得挥舞双臂，为整个西班牙国家向我们不断道歉。这种事怎么会发生在这么好心又慷慨的先生身上呢？她想知道，声音高得像发颤的笛音。她说，她本来就想免费招待我们今天的午餐的（并慎重提到了我之前赠送她的巴伦西亚柑橘），可是听了这么可怕的消息后，她一定要对我们表达更多的安慰之意。

“伙计！”她大声对着一个在吧台端咖啡的侍者喊，“给彼得先生送一瓶香槟！”

虽然用一瓶昂贵的西班牙气泡香槟配经济午餐，似乎太不相称，但我明白老板是真心在用她的方式，试图帮她的同胞请罪，只因为她是西班牙人，她觉得多少要负些责任。就这样，在附近几桌用餐工人的欢呼声中，瓶塞“啵”一声打开了，我们舒服地品尝起美酒。

“真是不幸的遭遇！”隔了一会儿，侍者把最后一杯冒泡的香槟倒进我们的酒杯时说。他自己有一回也遭人抢劫了，他严肃地表示，那是在他内陆的故乡穆尔西亚发生的，所以他了解这种可怕经历。“是啊，真是不幸的遭遇，两位！”

“噢，还好，我们的情况没那么糟。”我装作大度地向他保证，中午喝香槟喝到飘飘欲仙已经改善了我的气度，“不错，东西被偷是有点可惜，可是我的朋友乔克·彭斯说，其实情况本来可以更惨的。”

艾莉和侍者都诧异地看着我，弄不懂我为什么忽然变得这么豁达。

“更惨，先生？”侍者说。

“是的。我的意思是说，那些小偷本来可以破坏得更厉害的。可是他们只把门弄坏了一点儿，如此而已。”

侍者仍然一头雾水。

我倾身向前，手放在他的手臂上悄悄地说：“你知道吗，在我的老家英国，入室抢劫的人通常会把房子搞得乱七八糟，在墙上涂鸦，在地板上乱搞，诸如此类的。所以我才会说，其实我们并没有遭到严重的破坏。懂我的意思吗？”

侍者脸上亮了起来。不错，现在他懂我的意思了。“啊哈！”他微笑着，胸膛骄傲地挺起来，“这个嘛，先生，这是因为西班牙是一个高贵的民族！”

我一本正经地点点头。艾莉当场被一口香槟呛到。

5

异乡最后的探戈

想不到家里遇窃的不愉快这么快就过去了。我们虽然并没有忘记，但很快就打起精神，回到了生活正轨。因为也只能这样了。没必要闷闷不乐，自怨自艾。而且，事情刚发生，本地的工人马上就来帮忙了。也许他们的“明日综合征”不输其他人，但在我们需要紧急帮助时，他们的效率真的无与伦比。

木匠胡安·胡安是第一个来报到的，在偷窃发生的第二天一大早，他就开着小货车出现，把储藏室受损的大门修好了。接着是铁匠巴勃罗·米尔前来量尺寸，要在大门内侧做一个可移动的金属门闩，大门外侧配上一扇可以上锁的不锈钢安全门。他甚至带来了一个便携式电焊机，把一排铁制锯齿焊装在从巷子进来的双开门顶端，防止有人爬进来。他可能觉得这种东西太具杀伤力了（我们也这么想），可是这种诸克斯堡安全措施是保险公司指定的，并且警告说，若不装设可是要冒生命危险的。没有这些预防措施，就没有保险理赔，就这么简单。我们才不愿意冒这么大的风险呢！

几天后的一个早上，我打电话到巴勃罗在安德拉奇镇的小工厂，想把定做的东西取回来，却发现巴勃罗出去了，是他太太在那里工作。她三十几岁，娇小漂亮，跟想象中在铁工厂沉重机床边的粗壮块头反差巨大。我走进去的时候，她正弯着腰锤打我家门前的托架。她穿着宽大的工作服，汗水从弄脏的鼻子上滴下来。

“啊，彼得先生！”她愉快地说，把烧红的托架吱吱有声地伸进一个装了冷水的桶里，“你来得刚好！你的东西刚刚弄好。”

我看了一下靠在墙壁上的厚重安全门，对她说：“不急，太太，我可以等一下再来。等巴勃罗在的时候，再请他帮我把这些东西搬上车。”

她听了笑起来。“哈！即使巴勃罗在这里，他也会指望我帮他搬的，所以让我来帮你搬吧。反正都一样，不是吗？”

“好吧……如果你确定可以的话。可是要小心，别拉伤了肌肉。”

她又笑起来，但我很快就知道为什么了。因为当我吃力地抬起大门一头时，我龇牙咧嘴，喘着粗气，她在另一头却轻松愉快，若无其事，抬着重得要命的大门，像抬一袋杂货似的。

“人不可貌相啊。”所有东西都搬上车后，我喘着气说。

“我习惯了，先生。”她微笑着，“嫁给铁匠，就得这样。”

我想这些年来我也让艾莉吃了不少苦，在收成季节指望她铲成吨的谷子，在苏格兰中部那种冰冷的冬天要她帮忙用手拔好几英亩的芜菁，甚至要她跟不想被阉的暴怒小公牛缠斗。现在我觉得安心多了！

“我要给你多少钱，米尔太太？”我一面喘气，一面揉着酸痛的腰，伸手到车里的小置物盒摸索着支票簿。

这话又引起一阵笑声，不过这次带点嘲讽的味道。“不行，这件事你必须找巴勃罗！”她很坚持，“女人在铁工厂辛苦做工是一回事，插手财务又是另一回事。”我对她的嘲讽报以苦笑。就在上个星期，类似的情况也发生在艾莉身上——一个电气工人不肯收艾莉开给他的支票，他注视艾莉的眼光好像注视着刚从精神病院逃出来的病人似的，支票必须出自“先生”的手，他愤慨地宣布。有些事在西班牙还尚未改变。但那个搞错的家伙没想到，其实，开支票正是这个外国解放女性的专长，就算在西班牙也一样，讲不好西班牙语并不影响她开支票的能力。

“那么，巴勃罗什么时候回来？”我问米尔太太。

她看看表。“快十一点了，你回去的路上可以顺路到他办公室看看，那时他应该在那里。”

“办公室？”

“是的，就是努埃沃酒吧，在西班牙广场。你知道吗？”

我说过了，有些事在西班牙尚未改变。

不管怎样，有了安全门，本地建筑工人托尼·恩森雅特马上就能来帮我们安装了。通常我们在巷子那头的老磨坊就能找到他。因为“市长府邸”前任主人费雷尔夫妇雇用了他，要把老磨坊改建成周末度假小屋……面积之大，令人侧目！这件事背后的意图以及对我们的影响，到时会变得非常明显。现在，托尼能把费雷尔的工作暂时放下几小时，过来帮帮我们的忙，我们已经感激不尽了。

托尼是个沉默好心的人，也是个很以自己工作为傲的杰出工匠，但他并不因此就认为应该提高价码。你常会在他那个行业里碰到许多不老实的人，可是他不一样。在马略卡经常会碰到投机者，大多数是靠不住的外国人，擅长以高价向他们移居此地的同胞招揽生意，只因为那些背井离乡的人不好意思用母语跟本地工匠交谈。

在盗窃案发生后的这段日子里，似乎有一种比以前更开朗、更满足的气氛笼罩着“市长府邸”。并不是以前我们过得不够快乐，而是因为在警察分局时打击我们的没有归属感的情绪，已经被一种新的目标、一种更坚定的决心取代了，让我们更有决心要完成在买农场时许下的心愿。心情最低潮时我们也有过想要放弃的念头，但是在我老朋友乔克、村里的邻居，以及原先几乎不太认识的本地工人无私的支持下，那种想法很快就消失了。我们对社区的信心不仅已经恢复，甚至比以前更强烈、更坚定了。毕竟，不愉快的事在全世界都有，即便是在美丽自在的地中海。我们终于明白这就是人生，即使戴着玫瑰般美丽颜色的太阳眼镜也无法隐藏这个事实。

艾莉一直在忙着油漆已经修好的储藏室大门内侧。

“要喝杯茶吗，托尼？”她开心地问道，伸手推开托尼刚刚用水泥安在大门外侧的安全门。

正在收拾工具的托尼背对着大门，被垮下来的沉重金属门撞得摔了一大跤。

“不用了，女士，谢谢。”他耐心地对艾莉笑笑。艾莉捂住嘴站在那里，瞪大眼睛看着托尼辛辛苦苦安在石墙上的接合处已经和门分了家。“我自己带了咖啡。”

托尼真是个了不起的绅士！他没指给艾莉看她打翻了的他的热水瓶，也没有要她帮忙拿到旁边去，只推起了让他摔跤的大门，一句怨言都没有地重新修门。我们专横的保险公司一点都不知道，他们奉为金科玉律的安全设施（加上艾莉的无心之过），差一点就让他们缠上过失致死的官司！

“爱德华和伊丽莎白邀请你们共进午餐”，镀金边的卡片

上写道。

我们搬到岛上几个礼拜之后，斯迈思夫妇曾来到“市长府邸”拜访，说本地的房地产经纪人告诉他们，有个英国家庭最近刚定居这一带，也许可以给他们传授一下移民的利弊得失。他们两个都刚从英国外交部退休，正想在马略卡乡间物色一个“小地方”。虽然他们已经到了这个年纪，但最近刚结婚（两人都是第一次），爱德华已经把他在科茨沃尔德丘陵的“小地方”卖给了一个富有的阿拉伯商人，所以有足够资金在这个岛上买个不错的住处。

“这些日子英国有太多该死的外国人了！”爱德华坦白表示，“真让人受不了，你不觉得吗？”

凭我们这么粗浅的经验，有什么马略卡生活经验可奉告的呢？除非跟他们说些老生常谈，譬如“只要你喜欢，有什么不可以？”之类的话。显然他们有话要说，只不过我们还是第一次遇到邮寄午餐请帖这么正式的事。

不出所料，两个男孩都婉言拒绝了，所以只有艾莉和我两人驾车赴约，越过山脉驶往宁静的内陆市镇卡尔维亚。卡尔维亚是个含蓄低调的地方，当地政府富甲一方的证据，就只有壮丽的新市政厅和议会大楼，在那儿，政府征收着西班牙最赚钱的度假海岸的税。

这就是斯迈思庄园了，是有点小，没错，但富丽堂皇，地处郊区一条幽静的小巷深处，由一座传统的马略卡农庄改建而成。墙内的庄园大约占地一英亩，焕然一新的白色房子俯视着棕榈树大道，一直通向豪华的温水游泳池。我们后来才知道，这些棕榈树是特别从阿利坎特运过来的，游泳池则是一家伦敦公司建造的。关于建造游泳池的豪奢手笔，只能说是舍近求远，画蛇添足。马略卡本地其实并不是找不到这种游泳池制造商。不过爱德华无法轻易相信外国人，这样说大概就容易理解了。

我们在遥控的八英尺高的大门前，遇到两条狂吠的罗威纳犬。

“午餐约会到此结束！”我跟艾莉说，“我不打算进去给这两个吃人的家伙当午餐！”

“你别想这么容易就脱了身！”艾莉说，她知道我就像两个儿子一样，对这种社交场合很敏感，“其实看起来还挺有趣的！”

这时，一个矮小的菲律宾人出现了。他穿着白色长裤，排扣一直扣到喉咙的僵挺上衣，白鞋、白手套，他疾步走下车道，用听起来像是方言的他加禄语对两条狗叫喊。低吠的野兽不情愿地退走了，已让我们觉得自己是不受欢迎的人。菲律宾用人微笑着不停说些我们听不懂的话，并且不断鞠躬，引我们进大门，带我们走向房子。伊丽莎白穿着一条飘逸的粉红色轻纱礼服，如皇家贵族般站在开放门廊阴影下的华丽餐桌旁。

“我想我可能穿得不够正式。”我悄悄地对艾莉说，低头看了一下身上十分随意的衬衫长裤，“也许我该租一套燕尾服的！”

“啊，彼得和艾莉！”伊丽莎白热情招呼着，“大驾光临，真是荣幸！”

“哪里，是我们的荣幸！”艾莉说，我敢说这简直有点宫廷礼仪的味道。

“爱德华临时到村里去买点雪茄。”伊丽莎白一面告诉我们，一面拿起一个小水晶铃摇一摇，“马上就会回来了。来点酒吗？”

“嗯……好的，谢谢。”我回答，“艾莉通常不太喝的，不过我可以喝点啤酒，如果你们……”

伊丽莎白小声对一个矮小拘谨的菲律宾女人下达了命令——在我听来还是他加禄语。这个女人也是从头到脚一身白色，听到水晶铃声就从后面某处跑出来。她的男同胞站在后面不远处，依旧不断地微笑和鞠躬。

伊丽莎白重申了一遍命令，然后呵斥道：“Schnell！”

我听得出这个词是德文，意思是：“快一点！”显然两个穿白制服的也听得懂，一溜烟回到里面去了。

“安东尼和克莱奥帕特拉，我这么叫他们。”伊丽莎白优雅地笑着告诉我们，“当然啦，一句英语都不会说。不过，你们有没有发现，这年头只请得起菲律宾用人了。”

“说得对。”我很权威地附和，不想对这么重要的生活常识表现出无知。

安东尼和克莱奥帕特拉再度现身，克莱奥帕特拉托着一个放了上等香槟酒杯的银盘，安东尼端着一个银制冰桶，里面放了一大瓶堡林爵香槟。“说到香槟，我总是说，真正的好东西就是没话说。”伊丽莎白说，“这里的西班牙香槟，根本喝不了。”

“看来我喝不到啤酒了。”我轻声对艾莉说，同时看着伊丽莎白努力不懈地指导男仆女佣如何正确倒香槟。

一阵车喇叭声从巷子外面传来，安东尼自动冲过去按下大门的按钮。一部香槟色的双门宾利大轿车驶进来，顶篷缓缓滑下，爱德华坐在驾驶座，嘴里叼着一根宛若飞鱼导弹的雪茄。

“真高兴两位能来。”他轻松地说，一面爬出车子，走到艾莉旁边，给了她一个几乎让人受不了的熊抱，“能再见到你们真是太棒了，亲爱的！”

我注意到他仍然穿着蓝色的海军制服，口袋上佩戴着全副军团徽章，跟他到访“市长府邸”的那天一模一样，完全不管现在是相当温暖的四月天周六午后；通常在这时节，只要穿得多于一件长袖衫，就会觉得不舒服，或者说应该会觉得不舒服。但是爱德华天生性格坚忍，似乎是为了证明这一点，他还打了领结。

他用军事化的态度对永远微笑的安东尼下了一道命令，然后把汽车钥匙扔给他。“没办法，一句英语都不会说。”他对我露齿一笑，抓住我的手用力握了握，“外面路边加油站的那些家伙也一样。我是说，他们跟我打交道已经快三个月了，一句简单的‘加油’都听不懂。真让人受不了，你不觉得吗？”

老殖民地的观念还留在我们这对男主人和女主人脑中。接着，他们带我们到奢华的花园悠闲漫步。谈到花园，爱德华费心指出，即使是土生土长的地中海花草和灌木，都是他们从英国的种植专家那里进口的。

“我们大英帝国的园丁就是没话说！”这是爱德华的意见。“比起西班牙那些也想干这一行的家伙可靠得多了，我可以这么说！当然，棕榈树是得从西班牙买。”他近乎抱歉似的加了一句，“可是不能冒险，所以我们又从伦敦基尤皇家植物园请了几位专家飞过来，监督他们种好棕榈树。”

我忽然想到，有次在西班牙梅诺卡岛的一家杂货店，我碰巧站在一个与爱德华类似的人后面。他正用英语大声喊，说要买一瓶他要的美乃滋，脾气越来越大，因为柜台里那位被折腾了很久的女孩老是拿一瓶马翁牌美乃滋给他，这是梅诺卡岛首府马翁特产的美乃滋。当时我们正好就在这镇上。“该死的，你这笨女人！”他唾沫横飞，忽然瞥见柜台后面架子上有一瓶亨氏色拉酱，“我要的是那个——真正的英国美乃滋！”

坐在一排排芬芳的迷迭香树篱中，我们一面啜饮着冰凉的香槟，一面听爱德华说，他从军队加入外交部的第一个海外职务是在印度：“帮蒙巴顿做事。蒙巴顿是个上等人，德国血统。印度总督最恰当的人选。把印度管理得没人比得上。真是个不错的家伙。”等到了法国，爱德华才终于如鱼得水。“出任一个非常重要的英国人的私人秘书，不过这个人的名字不能说。”他轻敲着鼻侧，“是外交部的一次秘密行动。”然而在法国那几年，他也花了不少时间待在德国，不仅因为这个国家和他的重要职务关系密切，也因为他自己迷恋这个国家。至于他在德国遇到伊丽莎白的这段往事，他一语带过，好像只是无足轻重的回忆而已。“那些德国人，真是不错的家伙。”

“我想，你们会说德语吧？”伊丽莎白问我们。

“Ein bier, bitte[1]，我的本事就到此为止！”我招供，“不过艾莉没问题，事实上，她是在德国出生的。”

“啊，太好了！这么一来，我们的其他客人一定会对你欣赏得不得了。我知道一定会的。真是太好了！”

接下来，伊丽莎白坚持要带我们去参观一下房子内部。单单从庭园看来，我们就晓得主人是不计代价地把一个普通的旧式乡下住宅，改装成了足以刊登在《家庭与花园》杂志

1 此句为德语，意为“请给我一杯啤酒”。

上的优雅造型。我们的两位主人对他们的创作非常骄傲，尤其是在这么短的时间内就完成了改造。他们对这里的装潢和“改进”，使我们对“市长府邸”所做的一点努力相形见绌。不过，斯迈思庄园最后呈现的效果多少有点怪异，这很明显是受到了爱德华和伊丽莎白品位的影响。

他们刚买下这栋房子时，这里一定尚有一些传统特色，譬如厨房里的炉边壁炉、外露的木梁和朴素的白色墙壁等马略卡特色。而今眼前大不一样，天花板已全部贴上了石膏薄板，饰以复杂的吊顶与蔷薇窗，并且装着镀金的枝形吊灯。壁炉四周饰以桃花心木，这种乔治王时期的风格似乎应该更适合那个年代英国豪宅的客厅。即使粗犷的旧式墙壁也没有逃过工匠的英国化设计，爱德华强调这些工匠也是特别从家乡带过来的。在重新光滑地粉刷过后，现在墙壁上覆盖了天鹅绒花色的浮雕壁纸，这无疑和壁炉、天花板是完美的搭配，但是太华丽耀眼了，和不久前还是地道的马略卡农庄实在不太相称。

家具也反映出斯迈思的家庭背景。科茨沃尔德丘陵的印花棉布和军官餐厅的皮革奇异地混合在一起，把原来的储藏室变成一个很正式的餐厅，摆设着直接从伦敦高级住宅区梅费尔一家绅士俱乐部运来的维多利亚式家具。此外，到处看得见在海外服役的痕迹：一些带着印度回忆的象牙雕刻品、法国蕾丝和巴黎的画、墨西哥陶器，甚至还有一个巨大的德国陶制啤酒杯，上面画着女孩们的嬉戏图。

我们很容易就会忘记正置身于马略卡乡间。但这里是斯迈思的新家，虽然他们改头换面的痕迹在我们看来有点古怪，不过他们的确重新创造了一种让他们觉得快乐的气氛，让他们有了“回家”的感觉。退休之后，由于过去长期工作生涯养成的习惯，他们只能抓住这种如今已不合时宜的殖民主义。这么做其实不会伤害到任何人，只会因为他们的夸张作风伤害到他们在本地人眼中的形象而已。不过，尽管他们没有意识到，但肯定以前也发生过很多次了，他们现在显然也一点都不在乎。这是他们的一小块帝国，太阳尚未沉落——将来也永远不会！

态度上是过时了，然而爱德华和伊丽莎白移居此地，其实只是一对有点上了年纪的夫妻想舒适享受一下他们财力负担得起的特权而已，而且，很明显，他们也不吝于在玩乐时与别人一起分享。

赫尔穆特和希尔德开着一部闪亮的新宝马驾临。我们之前没见过他们，但早有耳闻。他们的儿子跟查理在学校是同班，而在很多家长之间盛传一种说法：生活奢华却无明显生财之道的赫尔穆特，最好的可能性是军火商，最糟的则是毒贩。他们夫妻俩都会说一点儿英语，这我们是知道的。但在今天的场合，他们选择以德语交谈，两位主人现在开始也是。

我想，这也没错。毕竟，马略卡是个多民族荟萃之地，所以碰到什么语言就该尽量去适应。

我退一步用西班牙语跟赫尔穆特打招呼，但他回报的眼神似乎在说："你以为你在哪里呀？西班牙吗？"爱德华的回应也一样。

我们在门廊的餐桌旁坐下时，伊丽莎白告诉我们，今天的主菜是山鹌鹑，用的是巴伐利亚式烹调方法：卷在培根里面，底下铺着德国泡菜，配上夹馅面包。这也是非常好的组合。

爱德华听了很高兴。"有一次我和公爵在黑森林用枪猎这种小东西。哇！差点让它跑了！"他神经质地笑了一下，迅速恢复镇定，继续说，"可是，现在这些东西非得从福南梅森百货运来不可，这里不容易找到了。这里的人除了蝴蝶之外，什么都射杀到几乎要绝种。我也不是想帮它们增加活命的机会，事实是，你永远不知道吃的饭里放的是什么东西。他们是怎么说的？海鲜饭之类的，对不对？"

午餐就这样进行到下午，赫尔穆特和爱德华对每个笑话都真心地捧腹大笑，无一例外。为了维持完美的风度，爱德华会用英语对我复述一遍。礼尚往来，我也一一回敬以礼貌的大笑，只不过，说实话，我觉得有些幽默一定是在翻译时丢掉了。还是那句话，也许只是我的问题……不然就是爱德华说话的方式有问题。不管怎样，我觉得局面还是蛮尴尬的。

好不容易发生了一件有趣的插曲。一只棕色的母鸡突然出现在走廊，然后拍拍翅膀飞到了爱德华肩膀上。

“噢，是你啊，亲爱的！”他愉快地用手指搔搔它的肉垂，“它是瓦西太太。”他告诉我，虽然没察觉自己又脱口而出一个秘密。“是红毛罗得鸡，地道的美国鸡。本来还有个玩伴的。”他若有所思似的顿了一下，“不过有一天那些狗拿它当了午餐。说起来真可怜。”

接着，爱德华从面包卷上撕了一点皮放进这只宠物鸡的嘴里。它一面咯咯两声表示感激，同时喷出了一摊五彩粪便到爱德华的袖子上（没让他知道），然后飞回地上，一本正经地踱步走了。任务完成。

“太……好了，”爱德华看着它离去时笑着说，“看起来比我们想象的聪明多了。”接着他做手势要始终随侍在侧的安东尼把酒杯加满，然后继续说他的德国笑话。

这段时间里，艾莉用流利的德语跟伊丽莎白和希尔德谈笑风生。渐渐地，我注意到女主人愈来愈关注，甚至是在忧心如焚地关注克莱奥帕特拉的餐桌服务礼节。虽然伊丽莎白一再出言纠正，但克莱奥帕特拉似乎就是没办法抓住简单的礼仪重点，例如上菜时必须站在客人左边，是“绝对必要的事”。

“这年头就是没办法找到好用人，不是吗？”我听到伊丽莎白在对艾莉喊。“你不会相信我花了多少时间教她餐具该怎么摆，可还是非得跟在她后面找出放错的刀叉不可！”

这种牢骚终于引发了高潮，因为那个不幸的菲律宾小女仆——我怀疑她时不时回厨房时偷喝了酒——居然绊了一跤，把一大盘苹果派和奶油全部倾倒在女主人穿着昂贵纱制礼服的大腿上。伊丽莎白拖着礼服愤怒地转身告退。

“不要紧的，朋友们，”爱德华笑着让大家安心，打响指叫安东尼来，表示大家需要一些服侍，“那个老姑娘马上就会把自己清理好。最愚蠢的意外，嗯？”

他军服袖子上的鸡屎已经干了，变成一条长形的硬块，真奇怪，形状非常像“我们的大英帝国”。毫无疑问，我们这位老兄在时机成熟时，也会把自己清理干净的，不过眼前他还有更重要的事情要办。爱德华用英语指示安东尼，拿咖啡和杜松子酒来，还有雪茄。“噢，还有，看看女士们需要什么，好吗？薄荷之类的，一定是。”他赶走一头雾水的安东尼。“继续，大家继续聊。”

赫尔穆特比这位很快就醺醺然的男主人醉得还要厉害，竟然放了一个很大声的响屁。爱德华捧腹大笑，并且说了一个我听来是关于放屁的德国老谚语。面具开始瓦解了，我很庆幸我的守护神，那过甜的莱茵白葡萄酒让我在这个午后比同桌的两个伙伴喝得少多了。我决定对杜松子酒也采取同样睿智的态度。

伊丽莎白很快就回来了，弄脏的袍子换成了同样优雅的衣服，女皇般泰然地重新落座。我学着爱德华带头的绅士礼节，在她走近餐桌时站起身来。赫尔穆特则坐着不动，专心打他的嗝。

“不要客气，兄弟，”爱德华对我说，“我要去解放一下。如果你需要的话，知道洗手间在哪里吗？”没等我回答，他就摇摇摆摆地向房间里走去。

我决定再试试和赫尔穆特聊聊天，这次说的是英文。“在马略卡住很久了吗？”

他用半闭的眼睛看着我，耸耸肩表示这有什么差别，“我来来去去。”

“呃，为了生意，嗯？”我的好奇心在作祟。“你做哪方面的生意，赫尔穆特？”

他的手向外一摊，“有时买，有时卖。有时进口，有时出口。没错，我进进出出的。”

这个问题显然很快也唐突地结束了。我试着另找话题。

“那……认识爱德华和伊丽莎白很久了吗？”

“不久。”

他开始用手指在桌上打拍子，轻轻哼着应该是施特劳斯的华尔兹，一面逐一打量正在聊天的女士。

我打消了找话题的念头坐着沉思。我想，赫尔穆特这对夫妻与斯迈思家其实不太般配。除了德国人这层关系外，他们之间似乎完全没有共同点。爱德华和伊丽莎白，不可否认，属于中产阶级上面那一端，赫尔穆特和希尔德则……这么说吧，属于低得多的阶层，虽然（或者被人们强调）有钱。

不过，话说回来，人本来就形形色色，除了拘谨一点外，斯迈思夫妇大概只是有点寂寞，想在新国家建立新的社交圈子罢了。毕竟，必须有一个开始，而他们想都没想过要跟马略卡社会打成一片，所以早就不做努力了。

“你太太，”赫尔穆特低声说，把我从冥想中惊醒，“她的德语说得很好，是吗？”

“是的，她说得不错。”有突破了。现在我可以跟他聊艾莉的德国背景了，“不错，事实上她出生于——”

“非常迷人的女人！”赫尔穆特插嘴，用暧昧的眼光看着艾莉。

“她喜欢跳舞吗，嗯？”

这是搞什么名堂？“这个吗，我不太——”

“我喜欢跳舞！”赫尔穆特宣称，“我的希尔德也喜欢跳舞！”于是他猛拍餐桌，大声哼着华尔兹调子，挥舞酒杯打拍子。

“看来很快就会越来越不堪了。”我心有余悸地跟艾莉说。伊丽莎白还在继续跟希尔德叽叽喳喳聊着，脸上也因喝酒而泛红了，“我觉得接下来情况不妙。”

就在这时，我们听到了刺耳的探戈音乐。断断续续的《嫉妒探戈》的手风琴片段突然从屋里传出来。

“啊！”看到我困惑的表情，伊丽莎白笑着说，“爱德华一直很醉心于收集拉丁美洲舞曲的唱片。给他一顿美食、几瓶好酒，最重要的是——”她顿了一下，对艾莉有什么阴谋似的眨了一下眼睛，“迷人的新女伴，他的埃德蒙多·罗斯就会出现了。”

艾莉整个人僵在了椅子上。

爱德华再度出现了，牙齿咬着一枝红玫瑰，胸前紧紧抱着一个女装打扮的人体模型。模型披着他的军服上衣。他向前滑了一个探戈舞步，诱惑地屈着膝，左手臂抓着空荡荡的衣袖，随着僵直的滑步伸在外面。

“我们很快就能共舞了，亲爱的！”他告诉畏缩的艾莉，探戈间奏时，在她椅边屈身弯向那没有生命的舞伴，然后步伐不稳地滑向两排高耸的棕榈树。

“有一次在我们布宜诺斯艾利斯大使馆，花了几个月时间，”伊丽莎白用就事论事的口气解释着，一面点上一支有一英尺长烟嘴的烟，“学习像加乌乔牧人那样跳探戈。”

即使爱德华没惹着艾莉，赫尔穆特眼光淫荡的邀请显然惹艾莉生气了。

“愿意跟我跳支舞吗，亲爱的？”

艾莉站起身，抓狂地看了一下手表。“噢，天哪！已经这么晚了吗？”她慌乱地说，“差点忘了，伊丽莎白，我们半小时内非得去机场接个朋友不可。抱歉。这真是顿一流的午餐，可是我们赶时间。改天我们会在家里回请你们，等着好了。”

她匆匆拉着我朝车子走去。“我们赶快离开这里！”她声音颤抖，显然吓坏了，“我可不要那个老色狼和他朋友在我身上玩瑞奇·马丁那一套！”

话还没说完，从屋里传出的叫嚣音乐忽然变成了地道的“蓝色探戈”，一阵哗啦的落水声伴随一声惨叫，从游泳池那边穿过棕榈树传了过来。

“也许这会让他的热情冷却下来。”艾莉喃喃地说道，把车门摔上。

我转动着车子钥匙。“如果不能，”我回答，“至少可以帮他把军服洗干净。”

这是我们最后一次见到爱德华和伊丽莎白。人是不错，只是有点古怪，而且是典型的英国人，依旧在异乡的自我小角落里，倨傲地紧抓着“高人一等”的生活方式。

“祝他们的王国万岁。”艾莉说，“而我只想要一片涂了番茄酱的面包，在老玛丽亚的小茅屋外面谈天说地。”

我衷心表示同意。

6

残酷的怜悯

“找到一个了！”森迪叫起来，“这里，《马略卡每日快报》的分类广告里面！”

正在吃早餐的查理从椅子上跳起来，凑近他哥哥的肩膀去看。“好耶！这个怎样，爸？”

我优哉游哉地喝了一口咖啡才说道：“最好先告诉我广告说什么，对不对？”

可是艾莉已经丢开厨房的事，热切地跑到森迪背后去看摊开的报纸了。“小拳师犬！”她吸了一口气，掩饰不住兴奋之情。

“是帕尔马的宠物店！”森迪说，眼睛也闪着期待的光芒。

“优良纯种血统！有斑纹！已接种各种疫苗！”艾莉开始唠叨了。

“可是，只剩最后两条了。”森迪警示地说，有点担心地朝我这边看了看，“而且这是昨天的报纸。可能已经太迟了。”

“这里有电话号码！”查理着急地建议道，“我现在就打过去，好不好？”

我举起手要他们停一停。“耐心点，行吗？这是我们看到的第一个拳师犬广告，就算这两条已经卖掉了，还会有一大堆狗出售。我的意思是，应该慢慢挑一条好狗，不要急急忙忙就买了第一条看到的狗。还有，宠物店可能靠不住。最好直接去找狗主人。”我一脸严肃地摇摇头，“我想我们应该再等一等。”

空气马上凝固了，三双眼睛目光灼灼地盯着我，想要我改变主意，我哪敢不？

我还是觉得在电话里讲西班牙语比面对面交谈更难，我想也许是因为看不到在跟谁说话，也许因为没办法读对方的唇语，不管读唇是多么不自觉的行为。可是这一回，我询问宠物店的女职员时却没遇到多大麻烦，她的回答也不难听懂。

“他们怎么说？”我一挂断电话，三个人就不约而同地问道。

“只剩一条了。”我说，“一条母的。那个女人答应在我们去看之前，会为我们留着，然后再看我们决定要不要。”

“真是太棒了！”查理宣布，“我们一起去！一天不上学他们也不会想我的，而且——”

“而且你别乱打算盘了，查理。反正你妈和我今天早上就得去一趟帕尔马，到律师那里签一些文件。我们会顺路送你到学校。而森迪——”

“我知道，我知道。”他叹了口气，“我答应今天要把拖拉机开到老佩普那里，帮他犁一点地。别担心，我现在就去。”他不情愿地踱到门口，然后转身慎重地说：“可是，我希望你们能买到那条狗。我有预感那会是一条好狗。”

我们以前养过拳师犬，就像大多数爱狗的主人一样，总习惯把它们当作人而不只是狗，尤其当你够幸运，找到的是条比较聪明又值得信赖的。无论是狗还是人，兼具这两条特质都不常见，但是我们一直都很幸运（至少就狗这方面来说如此），所以只希望这次我们还能拥有好运。

“我要提醒你！”把查理送到学校后，我对艾莉说，“我说的那些关于买狗要小心的话，并不都是在开玩笑，尤其是从宠物店买狗。所以你要记住，别一走进店里就缠绵悱恻不能自拔。我是知道你那副模样的，反正你要记住，所有的小狗都是可爱的，小野狗长大后也会变成长了四只脚的噩梦。”我停顿一下喘口气，在帕尔马混乱的交通车队里来了个令人捏把冷汗的左转弯。“而且别忘了，”我继续说，“这里不是苏格兰，我们对马略卡这里血统证明之类的事弄不清楚，对价钱也一样。我的意思是，我们必须注意一点，一不小心就很容易被大敲一笔。而且，最后一条待售的小狗八成是一窝里面最瘦弱的一条。”

艾莉保持她一贯策略性的沉默，而且，我从眼角余光看到，那沉默还连带着一抹坚定的微笑。显然我根本又是在白费力气——跟往常一样。

宠物店位于帕尔马另一头的佩雷加劳广场附近，散发着一般宠物店的气味——混合了锯末、消毒剂和老鼠屎的味道。店主是个非常温和愉悦的女人，把店里打扫得一尘不染。

“讨厌！”一个沙哑的声音在我身后大叫。我转过身，正面对上一只五彩的大型金刚鹦鹉。它在一根横条上蹒跚地走来走去，头不耐烦地上下晃动着，一颗圆亮的小眼珠一眨不眨地盯着我。这是如假包换的敌意，我很高兴看到它脚上有条链子把它锁在木柱上。这种鸟啄伤人可是会很严重的。

老板娘解释说，它的主人原本是一艘刚造访帕尔马的美国航空母舰上的水手。因为最近刚换了舰长，新舰长瞧不顺眼他的属下在船上养宠物，下令要他立刻弄走，所以它才会在这里特价出售。老板娘很机灵地指出，这只鸟非常会说话，只是它说的话她一句也听不懂，因为她自己不会说英语。不过，说不定这位先生可以把它当作玩伴，她建议，然后怀着希望看了我一眼。

我礼貌但坚定地婉拒了。

“婊子养的臭小子！”鹦鹉粗声粗气地叫着。

这事免谈了。

艾莉已经蹲在屋角一个小狗笼旁边，一面嘟囔着，一面把食指伸进铁丝网去搔那条舔个不停的小东西。

“啊，这位太太喜欢我的狗宝宝。”老板娘微笑着，察觉到这里比较有成交的希望。她打开笼子把蠕动的小狗抱出来，“你看，我的狗宝宝也喜欢这位太太！”她一面说，一面干练地把小狗送给艾莉。

“你好可爱！”艾莉哄着它，小狗一面用舌头舔她的脸，一面用修剪过的小尾巴拼命摇晃全身，只有拳师犬才能摇成这样。“真的，你是个可爱的小女孩，是不是？”

跟我预期的一模一样：一见钟情。不过我得承认，这的确是条漂亮的小狗，而且不像我原来担心的，它完全没有发育不良。事实上，这是一只美丽出众的小动物，全身布满黑色斑纹，可爱的小脸上瞪着棕色的大眼睛，眼神不言而喻，乞求着我们带它回家。我正想问老板娘为什么这么好的小狗会是一窝里最后一条待售的，结果我自己发现了原因——因为它头顶上有一个难看的痂的疤痕。我指给艾莉看。

“噢，是的。”老板娘立刻看出了我的担忧，“只是一点小伤口，跟其他兄弟姐妹玩的时候伤到的。没什么好担心的，先生，很快就会好了。”

也许她说得没错，可是我不想冒任何风险。毕竟这也可能是某种皮肤病，也许是刚发作的癣。我在牛身上见过太多这种问题了，虽然可以医治，但是非常容易传染，难以防范，没有人会想把这种麻烦带回家的。我尽可能向老板娘解释，她很上道，接受了我说的，也没有再勉强推销。别人对这条小狗也有同样的顾虑，她承认，同时从艾莉手里把小狗接过去放回笼子里。“没问题的，先生。”

小狗脸上彻底失望的表情足以让铁石心肠的人心碎。被温暖的手拥抱抚拍的那种快乐不见了，终于可以从寂寞的监牢里被带走的短暂希望消失了。它坐在撕碎的报纸窝里，哀怜地抬头凝视我们，颤抖着、哽咽着、低声嘶叫着，为祈求一个温暖的家做最后努力。

“可怜的小东西！”艾莉轻声说，再度弯下身去抚摸小狗黑色天鹅绒般的鼻子。“我们可以带他去看兽医，检查一下。”她说，用可怜的眼神看着我。

我本来已经觉得自己是个彻底的坏蛋了，这种狄更斯式的凄惨场面让我感觉更糟了。“这样子会更残忍。”我说，徒劳地想使艾莉觉得好过些，“如果兽医判它有病，它非得再被送回这里不可。”

“可是它现在这么伤心！”她回答，“你看它，这么可怜的小东西，又这么漂亮。”她捧着小狗孤零零惹人怜爱的小脸。

老板娘看着我，耸起一边肩膀，一副西班牙人典型的“你看怎么办”的表情。

“这条小狗的主人，”我突然心生一计，“你知道他们会不会很块就有下一窝？”

“我就是主人，先生。”她微笑道，“而且，没错，三个礼拜内就会有另一窝拳师犬了。不同的母亲，同一个父亲。”

“这么说是同样的血统了？”

“是，是，一点都没错！”她很骄傲地说，她所有的狗都有西班牙最好的拳师犬血统，“很多冠军！优良血统！”

“这就对了，艾莉！”我兴奋不已，“就这么办，嗯？回去等三个礼拜，你就有一窝狗可挑了！你说怎么样？”

艾莉继续透过笼子抚摸小狗，一句话都没说，明显看得出来这一条才是她最想要的。

“这样吧，我跟你说，”我感觉糟透了，可是还是相信自己做的是正确的决定，“我先买一只金丝雀在这段时间陪你。它可以唱唱歌什么的，给家里带来一点开心的气氛。金丝雀都很会唱歌的！”

就算我说服了自己，显然也并没有说服艾莉。当我们终于向店门口走去时，她还是回头看着小狗，一人一狗依依不舍地交换着目光，这时的我手中提着金丝雀笼子，艾莉则提着一颗沉重的心。

“快滚，混蛋！”我经过鹦鹉的栖木时，它大声叫道。

“说得好！”我喃喃自语，低着头，谦卑地走过去。

开车回安德拉奇镇的漫长路途上，连金丝雀都沉默不语，甚至是请艾莉到我们最喜欢的一家乡村小饭馆吃今日特餐，都没能振奋她失望的心情。我得想想办法让她高兴起来。

“我们给它取名叫马里奥·兰萨罗特吧！”我装作轻快地说，“有个歌手叫马里奥·兰扎（萨），对吗？后面加上‘罗特’，因为它是只金丝雀！懂吗？”我干笑一声。“兰萨罗特是加那利群岛[1]中的一个岛，不是吗？”

艾莉很反常地没被逗笑。“还是快点把它带回家，别待在车里了！”她咕哝着，“你知道金丝雀的性子，它一定不喜欢被讨厌的汽油味熏得发昏，我相信。”

沉默再度笼罩。

“想想看，艾莉。”隔了一会儿我说，“你知道把那条头上有痂的小狗买回家很可能是个错误。”我虽然想表示同情，但又想诱导她做出正确的判断。“我是说，刚买一条狗就得马上送它去看兽医，这是为什么？除非我们是傻瓜。我是说，你要讲道理。即便是店里那个女人都这么想。”

艾莉叹了一口气。“是的，你是对的，绝对是对的。我们只要再等三个礼拜，如此而已。”

“就是这样！然后你就会有一条很好的小狗了，好吗？”我拍拍她的膝盖，“一条头上没有结痂的漂亮小狗，嗯？有整窝可以挑！你会发现等一等是值得的。”

“是啊！”艾莉带着伤感的微笑承认，“而那条可爱的小狗，总有一天会找到一个很好的家。”

---

1 “加那利”和“金丝雀”的英文都是 canary。

我们赶回宠物店时，老板娘正准备关门午休。

“啊，先生，太太！”她微笑着，“你看，我正在等你们呢。我的狗宝宝也是。”她向柜台走去，那条小狗正耐心地趴在小小的塑料宠物篮里等着。它一看到艾莉就立刻精神焕发，一跃而起，尾巴发狂地摇摆着。

“告诉老板娘我们不需要那个篮子。”艾莉说，把她心爱的小狗搂在怀里抚摸着，“只要一个很舒服的床、一个小项圈和一些狗粮。”

“真的！”在二度返家的路上，我瞥见蜷缩在艾莉腿上幸福无比睡着的小狗，不得不承认，“它可真是个可爱的小东西。”

“那我们就这么叫它吧。”艾莉说。

“叫它小东西？”

“不是，傻瓜！叫它邦妮[1]！我们要叫它邦妮！”

不过接下来几个晚上它得到过好几种称呼，因为它一直叫个不停，想上楼跟人睡在一起，吵得我们睡不着觉。可是它必须习惯这种安排，就像所有小狗一样。没过多久，我们帮它在厨房火炉边一个温暖角落铺的床就成了它心爱的避风港。而它与艾莉的恋情，是在鹦鹉的恶意眼神和污言秽语下刻骨铭心地开始的，现在已迅速蔓延到全家。邦妮是一条很

---

1 “邦妮”是Bonny（意为“可爱的”）的音译名。

特别的狗，我们当然都知道，重点是，它自己也知道。就像所有深知自己魅力的小女孩一样，它很快就学会了要如何偷别人的心，几乎无人能幸免！

为了安全起见，买了邦妮后的那天早上，艾莉和我带着它顺道去找本地的兽医加夫列尔·普伊赫塞尔韦，让他看看它头上那个小“瑕疵”。正如宠物店老板娘所言，这确实不过是游戏时弄伤的疤痕，加夫列尔保证，几天内就会消失，不需要任何治疗。

“你这条狗很好！”彻底检查后，兽医说，“一条健康的小胖狗，也很漂亮。”他退后一步赞赏地看着邦妮，邦妮则骄傲地站在长凳上，看样子它很喜欢博得大家注意。“血统纯正。真的，你有一条好狗。”

“我早就知道！”艾莉高兴地笑着抱起她的狗宝宝，“走吧，回到家我要给你一碟温牛奶，因为你在医生这里这么乖。”

但是声称不说英语的加夫列尔，很明显至少听得懂艾莉说的一个词。他举起一根手指对艾莉摇一摇，警告她绝不要给这个年纪的小狗牛奶喝。这样只会让它的肠胃不适甚至生病，弄得腹泻。现在邦妮只需要把煮熟剁碎的鸡肉和蔬菜搅拌在稀饭里，当然水随时都能喝。至于牛奶？他再度摇摇手指。“绝对不行！”

这个说法我倒是第一次听到。可是人总是每天都会学到点新东西的，尤其对一个刚在异国安顿下来的新手来说，新环境的生活经验虽然和自己老家的不同，但这里的做法总有他们的道理。接下来我很快又学到了一课……

“喂——噗！”门口传来打招呼的声音。

“喂——噗！”我也回了一声。我不知道这个招呼语是什么意思。大概没什么特别意思吧。字典上一定没有，可是马略卡乡下人彼此都这么打招呼，所以我也习以为常了。

我在“市长府邸”的庭院里，正敲敲打打拼凑出一个木制小鸟屋，艾莉希望吸引青山雀来筑巢。她前阵子发现房子旁边的松林中有只彩色小鸟飞来飞去，所以想到也许现在是吸引它们留住的好时机，毕竟，前屋主弗朗西斯卡·费雷尔养的那帮坏猫已经不再四处巡逻惹事了。我也刚刚做好了一个喂鸟台，就放在我旁边的地上。

“这附近鸟不多。”艾莉说道，“马里奥·兰萨罗特需要有些伴儿，可怜的小东西，整天孤零零关在窗台笼子里。”

说真话，那天在宠物店我本来要帮它买只雌鸟做伴的，可是老板娘劝我说，如果想要金丝雀唱歌，它就必须是孤家寡人。这就是在新国度学到的东西！事实上马里奥来了之后，至今没有唱过一个音符，让我不禁怀疑，除了孤独之外，让它开口唱歌是不是还需要点别的东西。

“喂——噗！”老佩普又招呼了一声，用那种约翰·韦恩式的昂首阔步慢慢踱过庭院。

这是个美丽温暖的四月早晨，太阳已经晒到东边最高的山脊，山谷中的空气因一夜水汽的蒸发而潮湿凝重。即使只穿一件薄T恤衫，才锯了几下我就已经满身大汗了。可是老佩普撇开一把年纪不谈，居然还是一如既往的老酷哥装扮，穿着他古老的轰炸员皮夹克，细瘦的脖子上套了一条俏皮的红围巾，黑色的圆扁帽拉下，几乎遮盖住那洞察一切的黑眼珠。自己卷的香烟习惯性地叼在嘴角，嘴唇略微不对称地歪向一边。很明显，他对我正在做什么感到很好奇。他在我身边站住，仔细观察了一分钟，可是一直保持一种不祥的沉默。他胸脯起伏的呼吸声和吞云吐雾的声音，与我锯木头的刺耳节奏融成一片。

“你在搞什么？”他终于粗声粗气地开了口。

我觉得自己有点支支吾吾的：“鸟！”我说，腼腆一笑抬头看他，“这些……都是为鸟做的。”

佩普呛到似的突然爆笑出来，香烟火星喷了我一身，也不是在笑，更多的是被烟呛到后的咳嗽和喘气，但也还是在笑。

“干！”他冒出一句，一面止住笑声喘了口气，一面擦掉眼角的泪水，“这种陷阱永远抓不到鸟的！四十个妓女！”

佩普最后一句话真是奇怪的诅咒，只有在特别嘲笑什么东西的时候才会派上用场。

得尽快换个话题才好，我心想。“那天森迪帮你耕田，做得怎么样？”

佩普把长长的食指伸进我在青山雀筑巢箱前锯的一个小洞里。“啊，”他嘟哝着，似乎对这个洞比对我的问题有兴趣，“不错，不错……真是个天才。”

至少他没有再笑了，嘲弄已被困惑取代。这个转变不错。我旁观着佩普巨细靡遗地检查两件木制品。

“那台拖拉机，”我试着再度转换话题，“我是说，你要森迪帮你用拖拉机耕地的，觉得还好吗？”

佩普继续细细审视青山雀的房子。“嗯！”他又粗声粗气地应了一声。

我们这位顽固的老邻居以前总是强调，绝不会让拖拉机污染他农场的空气，更别提在他的土地上工作了。所以那天他要求森迪带着我们的小巴维里拖拉机到他那里去时，我真的吃了一惊。当然，非得等到佩普自己高兴说的时候，你才会知道原因。

“我的马！”他一直坚持把他的驴子称作马，我猜，大概是为了形象问题。“我的马脚跛了。”他顺便说了一句。

虽然佩普的解释不是很有说服力，不过很明显，我绝不会从他那里知道更多了。这时他已经检查完我的手工艺品，毫不闪避地直视我的眼睛告诉我，也许我做的这些奇怪装置的确有点潜能，但基本上两样东西的设计都有很大缺点，在结构上完全不能发挥一个陷阱应有的功能。

“呃，不错，但这是因为事实上它们并不是……”

佩普用无情的眼光打断了我的话。“注意看！”他命令道，指着我的喂鸟台。理论上很不错，他勉强说道，但少了一个可以迅速移动的支撑物，不用说还得连着一根线来遥控，这样当鸟被吸引到平台上时，顶才会落下来把鸟捉住。用意很好，可是流于技巧，这是他的结论。我应该拆掉重做。或者，更好的做法是，把它们丢到一边，照马略卡的式样做一个既简单又有用的——找一块石板，用一根竿子撑着，然后用一条线连着。与我的苏格兰式设计原理相同，可是不花钱，容易装，况且早经前人检验，万无一失。“天哪，比你这个可好用多了！了解吗？”

我正张口想再试着解释这两样东西真正的用途，可是佩普又抢先一步。

“这一件，老弟，稍微有趣一点。”他骄傲地点点头说，像电视机里的古董专家把青山雀筑巢箱拿在手中审视。他看得出这个设计是特别为了吸引比较小的鸟类的，他很有把握地说，一面再度把他的手指伸进洞里。也许是想吸引知更鸟之类的。当然，洞太小了一点儿，不过这个错误还容易补救。根本问题是，究竟要如何把飞进箱子里的鸟儿困在里面。明显的解决之道是在洞上面钉一个铰链活板门，同样用一根线来遥控。

我还是想插嘴为自己说两句话，可是佩普立刻伸出手指阻止我开口，一个沾沾自喜的笑容使得他饱经风霜的脸上布满皱纹，这表示他又要有惊人之语了。首先，究竟这种设计怎样把鸟诱进陷阱里？他不得不问，因为就算从天上飞过最聪明的知更鸟，也很难透过我在箱子上钉的实心木头屋顶，看到里面有蛆或虫！“对不对，老友？”

我逆来顺受地耸耸肩，让佩普开心享受一下胜利的滋味。最好让他说个痛快，我想。显然还有下文，而从积极的一面来看，我也可以学到一些有用的东西。于是我期待地看着他。

“不管怎样，”他继续说，“就算你运气好，真的用这个陷阱捉到一只知更鸟，你又打算怎样捉到更多只，嗯？”

我又耸耸肩，表示啥主意都没有。

只捉一只知更鸟一点用都没有，他断然表示。你至少需要一打才能做一个够大的派，如果要炖着吃，甚至需要更多。别误会，他自己从来没吃过知更鸟。“干，会有那么多又尖又小的骨头塞在牙齿缝里，不是吗？”顺便提一句，就算把古代雷龙的肱骨放进佩普满嘴稀落如墓碑的牙齿中间，恐怕也会通行无阻，毫无困难。

“可是有些事你必须了解，我的邻居！”他继续讲着，对这个话题越来越热衷，语调里带着机密的口气。“捉到第一只鸟是捉到一打鸟的关键。”他解释说，知更鸟是一种有强烈领地意识和侵略性的鸟，会攻击那些胆敢进入它地盘的同类。

通常它们会拼个你死我活。“它们也许歌声优美，可是在歌声背后，它们其实是邪恶嗜杀的小混蛋！”所以，重点就在这里，你必须利用知更鸟领地意识强的特点，去智取它们。

我这辈子还没想过要智取知更鸟。不过佩普越讲下去，我越着迷。我抱着双臂，两腿交叉，专心听着。

佩普继续说，你需要两种东西去捕捉关键性的第一只知更鸟：一个番茄和一些粘鸟胶。把粘鸟胶放在知更鸟出没的林间空地上，再把番茄放在粘鸟胶上面。飞过的知更鸟看到红番茄，由于性急又愚笨，会以为是一只入侵的知更鸟就飞下来攻击它，结果就会被粘鸟胶困住。“听好！”捉到了第一只知更鸟，接下来就简单了，你转移到另一只鸟的地盘去，把第一只知更鸟用一点粘鸟胶粘在地上，躲在附近树叶后面几分钟，等第二只知更鸟来袭。然后重复这个简单的过程，直到你捉到足够煮一顿的知更鸟为止。

我忽然感到索然无味。话说回来，我又有什么权利批评这种捕鸟术？毕竟，这跟在沼泽地放一只木鸭，人躲起来，直到一大群真鸭子打算降落在假鸭子旁边时，再举枪把它们从天上轰下来，基本上没什么差别。两种都是基于人类对食物的需要，虽然后者如今是假消遣之名。我现在已经很幸运了，就像大多数现代人一样，不必非参与这两种活动不可，我可以不假思索就把鸭子吞下肚。追根究底，从饥肠辘辘的人来看，一只鸭子和一只知更鸟真正的不同，除体积之外，只有形象的差别。换句话说，鸭子不过是运气差一点，没被画在圣诞卡上而已！

佩普会不会同意这种哲学？我不知道，不过当我终于有机会告诉他，我的两件小木制品虽然是为了吸引小鸟，但不是为了吃它们，而是想观赏它们时，他的反应真是让我大为震惊。我从他激烈的长篇大论里学到了更多马略卡脏话。

以地狱里全部的妓女之名，我认为我这是在玩什么把戏？难道我脑袋里装的都是猪粪吗？我知不知道把鸟赶出果园，是山谷里每个果农的重要使命？我以为每到候鸟迁徙的季节，那么多人不辞劳苦地布网，捕捉成千上万飞过马略卡山谷的歌鸫，为的是什么？因为人们喜欢在薄暮时分一连几个小时坐在石楠叶里吗？

“我一直以为是因为肉店需要大量的歌鸫。”我温驯地表示。

佩普几乎气炸了。把它们卖给吃食店不过是附带的做法，他噼里啪啦地说，诱捕歌鸫的主要原因是，如果不这么做，它们就会毁掉大部分的橄榄树，也就毁了无数家庭的生计。天哪，想出这种疯狂的计划鼓励那些会飞的龟孙子到山谷里来，他警告说，我马上会被处以私刑！

他说得头头是道，让人心悦诚服。

就在这时，天晓得什么原因，我们喜怒无常的马里奥·兰萨罗特终于开口唱歌了。

佩普皱起眉头，朝挂着马里奥鸟笼的门廊那头看了一眼。“还有，”他咆哮着，在我胸前戳了一下，“你应该把那只金丝雀放走！”

“真的？”我大吃一惊，“为什么？”

“因为，依我的看法，老友，”他宣称，“把一只鸟关在笼子里，是一件再残忍不过的事了！”

果树在佩佩动大手术之后才几个礼拜就恢复了生机，复原的迅速程度令人惊奇。这段时间下过几场大雨，所以我们还不必急着给树灌溉，不过我们已经开始给它们喂食了（在我们不断增加的西班牙语词汇中，又多了“施肥”这个词）。而且，在佩佩的指导下，我们也学着在树枝和树叶出现斑点或虫的地方喷洒杀虫剂。我们一点一点学习原来并不熟悉的药剂，像“波尔多混合剂”和“白油”，了解它们可以治疗木本植物哪些疾病，以及喷洒的部位和时机。

像我们这种来自一千五百英里外寒冷北方的人，早已习惯了那里大自然的生长方式和节奏，相比之下，地中海气候下万物在春天生长的速度，简直像天佑一般。连一排我以为是大蓟而砍掉的“异国”植物，也很快又发芽了，蓬勃怒长，直到老玛丽亚无意间指点，我才知道那原来是朝鲜蓟。正如山谷里的人不断对我说的，马略卡农夫最好的朋友就是阳光和水。阳光倒是从来不匮乏（有时有点太多了），可是水就完全是另一回事了。我们来自一个把雨水丰沛视为理所当然的国家，直到雨水的多寡主宰着生存时，我们才意识到这个东西的价值。这是我们要学的另一课了。

我们在“市长府邸”的第一个冬天，所有日常生活所需的用水都取自房子西边露台下面的一个大贮水池。屋檐的雨水直接注入其中，有时我们也把田野最远处从水井导流的水管放进贮水池，以增加储水量。水不成问题。事实上，水量非常充足，甚至有时朋友来访，由于他们平时必须花钱买水，所以会用五加仑的塑料水罐在我们这里加满水带走。直到有一天，托马斯·费雷尔看到我把井水注入贮水池里，问题就来了。

“你不能这么做！”他斥责道。

这时我才忽然想到今天是周六。当初从费雷尔手上买下农场时我们签过一份合约，从周一到周五的井水使用权完全是我们的，但周末则属于他们。当时他们曾表示，出售农场时，如果卖主仍保留部分土地，买卖双方间常会有这种协定。费雷尔家的情形正是如此，他们在这里只保留了一小块地作为休闲之用，以便周末时能离开帕尔马的公寓来此度假。虽然托马斯·费雷尔长久以来一直是个颇有成就的地方官员，但他从来没有忘记他的农民出身，真心喜欢每个周末回到小农庄来过两天农耕生活。

“对不起！”我说，马上关掉水龙头，“我真的忘了今天是周六。”托马斯很明显把这个意外看得很严重——我想太严重了些——所以我试着让情况缓和些。“等你开始灌溉的时候，我想，我可以在工作日帮你打几天水到你田里作为补偿，好吗？”

我并没有安抚到托马斯。“你把井水打进贮水池有多久了？”

“整个冬天吧，我想，偶尔会打点水。可是在周末这还是第一次，说真的。”我说话的口气好像一个偷苹果被逮到的小学生似的。我自己感觉得到，也晓得这有多傻，可是这就是专制的托马斯对人产生的影响。

“先生，是一周的哪一天并不重要，重要的是你所做的这件事。”从“市长府邸”这样一个露天水井汲取食用水，他继续说，无异于一种自杀行为。我们没被毒死已经是个不小的奇迹了，整个冬天有足够多的雨水来稀释污染的井水，实在是件幸运的事。“你闻闻看就知道了！”

他打开水龙头在我捧着的手里灌进一点水。的确，说得没错，闻起来真的不太妙。

“老鼠，”托马斯说，“死鸟，腐烂的树叶，井底什么东西都有。”

现在我不仅觉得很傻，还觉得很恶心。

“你有两种选择。”他继续说，“你可以装一套很贵的过滤系统，虽然水并不够你夏天灌溉果树兼居家饮用。或者你可以像我们通常的做法，从运水公司买水喝。”

突然间，水的事变得不再那么单纯了。

托马斯带我看从屋顶排水孔通往贮水池的水管。“从现在起你必须把水管堵住，直到秋天的雨季来临。夏天的雨水只会冲刷屋顶瓦片的灰尘和其他脏东西。安德拉奇运水公司的名字是普霍尔-塞拉。我建议你立刻跟他们联络。”

就这样，他走了，留下我一个人思考这意外而又有点复杂的人生问题。

“噢，还有一件事。”他走到转角时停了一下，转身对我说，“房子旁边的松树上有毛虫的卵。那些成群结队的毛虫会把整棵树啃光。我建议你马上把虫卵弄下来烧掉。”

就这样，他又走了，留下我思考另一个没有料到的问题。

松树上结队行进的毛虫是种很有趣的生物，只不过在此之前我根本不知道它们的存在。它们住在无数的卵里，这些卵就像一串白色的棉花糖，看起来完全无害，如同长了绒毛的泡芙。那些小东西白天在里面睡觉，晚上则钻出来如行军般排列成极长的队伍，贪婪地大嚼松针。等它们吃饱啃足了，就从树上爬下来，再度排成单行队伍行进离开，找一块适合的地方把自己埋起来，几个月之后奇迹般地变成蛾子出现。自从 20 世纪 50 年代意外从西班牙本土引进后，这种毛虫就成为马略卡的瘟疫，危害仅次于森林大火，可以吃掉整个松树林，使岛上山峦和丘陵长满松树的优美景色被破坏无遗。

为了抵御这种威胁，我们必须略尽绵薄之力。

“我们要怎么把它们弄下来？”我问森迪，抬头看着松树高耸的枝干上四处悬挂的虫卵。

“只有一个办法！”他回答，“我们之中得有个人爬上去把它们砍下来。”

“说得对。我可以扶梯子。”

可是梯子还不及最低虫卵的一半高度，所以森迪必须无比惊险地爬上树才够得到它们。他带了一个小锯子想锯掉有虫卵的树枝，让树枝落地之后烧掉。可是正如往常一样，理论与实际不符。

“没用！”他朝着下面喊，“锯子太小了，锯不断这么粗的树枝。我得爬过去用手把卵扯下来。”

我不喜欢眼前这个画面。显然，老佩普更不喜欢。就在森迪快要够到第一个虫卵时，佩普从巷子跑过来，手里拿了一支猎枪。

“别碰它，孩子！”他大叫，“快让开！”

森迪躲到大树干后面。佩普瞄准，从枝上轰下第一个虫卵，接着第二个，只在装子弹时停顿一下。虫卵掉在地上，露出密密麻麻四散的幼虫。我看不出这些幼虫有任何生命迹象，然而佩普不愿冒险。他朝每个落下的虫卵又开了一枪，造成满地碎尸的毁灭性景象。

“是哪个基督世界的木头圣徒要你让孩子做这种事的？”

他噼里啪啦地骂着，“你不知道这些毛虫有多危险吗？”

“危险？毛虫？拜托，佩普，别开玩笑了。”

“如果是开玩笑，我会射光整盒子弹？”佩普真的冒火了，“天哪，知不知道你有多幸运，正好让我看到你们在做什么事，要不然你会一辈子良心不安的！”

“我不懂你的意思。我只不过听托马斯·费雷尔的话——”

“费雷尔！我就知道！他没有告诉你如果碰了毛虫会怎么样？”

“没有，没有，他没说。”

“这就是他的作风！注意看！”佩普弯下身，用一根树枝挑起一只毛虫的残骸，“有没有看到它背上这些细毛？只要碰到这些毛，皮肤就会起很严重而且很痛的疹子。沾染这种毛虫的毒足以让人送命！”

“费雷尔先生真好心，竟然没提这些微不足道的小事。”森迪嘀咕着。

“费雷尔？绝对别相信他！”佩普一副神气的模样，“他该告诉你们的还不止这些。比皮肤发疹子更糟的是，如果你儿子碰了毛虫后用手揉眼睛，天哪，八成逃不了把眼睛弄瞎的危险！”

看得出佩普是非常诚恳的。他已经明显表达出他对托马斯·费雷尔的不以为然，而不可原谅的我直到这时才了解为什么他会这样想。虽然我没有怀疑过托马斯一秒他是故意不告诉我们触碰毛虫的危险性的，不过他的疏忽的确可能造成一场灾难。话说回来，如果真像我们老邻居说的，毛虫的问题在马略卡早已是一般常识，那么费雷尔很可能以为我们对这种小东西早已经一清二楚。我把这个想法告诉佩普，他嗤之以鼻，不用说就知道他对我这假设的看法。

“佩普，现在我们该拿这些死掉的虫子怎么办？”森迪问。

“把它们一只不漏地耙成一堆，上面倒些汽油，然后烧掉。”

“不能让鸟把它们吃掉吗？”我问。这个无知的问题再度让佩普嗤之以鼻。

毛虫的细毛这么毒，他说，根本没有鸟会靠近它们。“除了一种鸟，”他想一想，又加了一句，“大山雀。”

我有点期望佩普接着会说出一两句诙谐妙语，但是没有，他还是一脸严肃的样子。没有多少人目睹过那种景象，他表示，但是他很幸运，那时老帕科还在经营这个农庄。就在这片松树下面，他亲眼看到大山雀吃毛虫的一幕。

“所以说，大山雀对毛虫的毒有免疫力，是不是？”我说，仍然在猜佩普会不会说出什么惊人之语。

佩普用力摇摇头。“不——不是免疫，老友。只是聪明！因为大山雀有办法在把毛虫吞下肚之前，把它的身体从内到外翻过来。这样一来，”他耸起肩膀，“没有刺人的细毛，就没有问题了。”

森迪和我都忍不住笑了出来。佩普因为我们好像不相信他的话而显得很不悦，冒出一连串马略卡脏话，然后把猎枪扛在肩上，头也不回气冲冲地穿过巷子走回家去了。虽然佩普说的大山雀的故事当时听来难以置信，不过随后一位极受尊敬的巴利阿里群岛野生动物权威专家向我保证，事实上，他说的是真的。一大块谦卑的派（没有掺知更鸟馅）连同道歉，随即一起向佩普奉上，谨向他的关心和迅速反应致意，由于他的教育和义举，森迪才幸免于难。

我原已丢弃的筑巢箱终于从垃圾堆中复活，我把它放置在一棵松树上，希望能吸引一对大山雀搬进来，建立一个吃毛虫的大家庭。但是没有半只鸟肯赏光，那些聪明的小东西八成认为那根本就是佩普用来捉鸟的陷阱。

— 7 —

佩佩的困境

一个非常美丽的日子，艾莉和我应佩佩·苏沃之邀去拜访他的农场。灿烂的晚春阳光已经散发出初夏将临的味道。当我们的车驶进巷子，正午时蒸腾的热气从谷底渐渐升起，四周的山岩峭壁闪闪发亮，透过热浪几乎像海市蜃楼般跳着舞，再也没有寒冷的雾气从高耸的岩隙狭缝飘散下来，也没有乌云使葱翠的山坡变得阴郁晦暗。节气又变了。

埃斯堡和“市长府邸”分别在安德拉奇镇相反的两头，埃斯堡农庄距离城郊只有几公里远，位置居高临下，可以俯视整个山谷。以前有几次经过这条路时，我就注意过这座优美的房子，羡慕得不得了，可是从来没想到这会是佩佩的。不过这确实是他说的地址，没错。我们驶得愈靠近，农庄看起来就愈迷人。

这幢房子真如马略卡语所说，是“一座比农庄大的巨型庄园”。我心里的疑惑马上又浮现了，为什么佩佩拥有这样雄厚的资产，还要工作得那么辛苦，终日忙碌地开着西雅特老爷车，到别人的小农庄去做树木魔术师？

大方、含蓄而不流于繁复华丽，是对许多马略卡典型庄园最贴切的形容，埃斯堡宅邸的外观正是如此。它稳重坚实，呈长方形，白色的房子上覆盖着微微倾斜的赭红色瓦顶。间隔规律的绿色百叶窗镶着窗框，我注意到窗框漆的颜色正呼应外面田野石墙的浅棕色，那些石墙维护着陡峭山坡上一畦畦相接的梯田。这里有一种宁静庄严的气氛。车道两边的田野整齐地种着一行行杏树，看得出都经过仔细照料，树间的麦黄色土壤上隐约可见浅畦中冬季谷物的茂盛绿叶。

然后我们看见了佩佩，还是穿着那一身熟悉的工作服，在房子前面等着我们。他脸上带着和气的微笑，招呼我们把车驶进一个拱门，里面是铺设圆石的广阔中庭，这是马略卡大宅邸的典型设计。我们原先只是暗自赞叹埃斯堡的外观，现在则深深地被眼前所见的景物弄得目眩神迷了。

一座古井边昂然耸立着一株枝叶伸展的棕榈树，四周则围绕着两层的农庄房宅，没有一栋像宅邸的外观一样漆成白色，而是泛着灰褐色石墙久经岁月后柔和的铜锈色泽。角落处一道阶梯向上通往二楼的仓房，顺着相连的墙壁望去，可以瞥见一排拱形车篷里放置的古老农具（看起来都还在使用）。这简直像倒退回了古老的年代。以前我们假日里到岛上来玩时，曾见过类似的地方：像这样的中庭改建成乡土风味的露天餐厅，古老农庄昔日使用的马略卡传统物品被再造出来，以娱乐游客。有一两家餐厅甚至扮过了头，请来穿着传统服饰的当地舞者、乐手、蕾丝手艺人、工艺家展现“古老国度”的乡村工艺品；有时还会选一些农村动物，比如无精打采的驴子，让小孩抚摸。这样的地方很有趣，又有娱乐性，事实上，的确值得一游。

但是埃斯堡的中庭才算得上货真价实。这里明显还是个实际运作的农场，而且我相信，纯粹由于实际需要，这个地方被小心保留成至少一个世纪以前的原样。十几只鸡正在啄食圆石间隙的谷粒杂食，它们满足的啼叫和咯咯声是这个几乎令人肃然的寂静庭院里唯一的声音，此外，只剩下微风吹过棕榈树下垂的树叶时发出的沙沙声。佩佩的老狗对于我们的到来只微微睁开半闭的惺忪睡眼，然后蜷缩起身体，靠着阳光闪耀的谷仓大门继续舒适地打盹。这是一种永恒的宁静气氛，散发出安全隐逸的舒适氛围，这种气氛无疑是从中庭四周的墙壁汩汩流出来的——一种俗世的修道院，真的很像。

佩佩礼貌地和我们握手问候：“你好吗？欢迎。”随后，当我们表示自己有多么喜欢庭院和里面井然有序的一切时，他坦承他也觉得很荣幸能拥有这么好的古老宅院，并且认为自己最大的责任就是遵循传统，以恰当的方式照顾庭院以示尊敬。

见到佩佩这类富人还能以感激的态度对待自己的资产，我备受启发。回想在英国时，有哪个类似的幸运农夫说过这么感人肺腑的话呢？我实在数不出几个。

佩佩带领我们穿过庭院走向房屋，在古井旁边，他停下来对我们解释说，这口井的井水是方圆几公里内最纯净可靠的水源，所以农庄当初就以它为名。埃斯堡（Es Pou）里的Pou在马略卡方言里是“井”的意思。他继续解释，围绕这样一个泉眼建筑一座大庄园，是马略卡长久以来的做法。事实上，尤其当广大的田宅庄园坐落在特拉蒙塔纳山的高远山谷里时，这是绝对必要的做法。不像埃斯堡距离镇上只有几分钟路程，许多坐落在山区的田宅十分偏远，甚至直到今天车子还是开不上去。

“那些人住在那么高的地方还继续经营农场吗？”我问。

“是的！”佩佩强调说，“他们还是像过去一样养绵羊和山羊，同时种植橄榄树。”他略微沉吟，眼里闪过一丝忧愁的神色，又加了一句，“可是没有以前那么多了。以前一个好农场一年的橄榄油产量还可以赚些钱，即使在我那个年代都还可以，可是那样的日子已经过去了。种植橡树做木柴、木炭生意，以前也能赚不少钱，现在这种好日子也一去不复返了。很少有年轻人想过以前的生活，所以很多在广袤、险恶土地上谋生的工人家庭如今都离开了。从某些方面来说，谁又能怪他们呢？”他认命般地耸耸肩，“那种谋生方式从来就不容易，只不过你生来就非做不可，而且待在那么孤立的地方多危险啊！在孤绝的山上，有些农庄都在庭院围墙顶端修筑了城垛，这样，一旦强盗来抢劫，这些孤立无援的地方才能有所防御。”他摇摇头继续感慨，“不容易，先生，那种谋生方式从来就不容易。”

不过，虽然佩佩说的每句话都表示他接受现状，我却怀疑他非常渴望回到过去。至少在那个年代，对于拥有大片产业的人来说，那种生活并非没有物质方面的优势。至于地处偏远，这也不算什么问题，除非当外面花花世界引诱你逃离，让你去享受自己、更可能是手下工人努力的成果时，你觉得承受不了罢了。就像全世界许多富有的地产大亨一样，我一点都不怀疑马略卡的大庄主早就这么做了。但是我们这位努力工作、谦虚务实的朋友佩佩，却完全不符合那种豪门败家子的形象，虽然他极其走运，在特拉蒙塔纳起伏的山脚下继承了这么大一片山林产业。说真的，他的确是个矛盾的组合。

佩佩说他要先带我们去看“主人”的住房，于是我们回头穿过拱门回到宅邸的前门。空地的右边一望无际，可以尽览下面的山谷，一直连接到安德拉奇镇郊区。更远处则是高耸入云的科斯特纳摩拉山脊。和宅邸的外表一样，入口和接待室没有任何浮夸的装饰，令人印象深刻。接着佩佩带领我们从客厅到餐厅，从藏书室到台球房，又从书房到会客室，整体印象无论就房间大小还是摆设而言，都可谓朴实无华。此外，所有的房间似乎都是直接相连相通的，所以根本不见走廊。

历代庄主的昏暗身影从古旧的油画中向下凝视着，他们高居在纯白的墙壁上，四周点缀着画框华丽的虔诚宗教画，以及描绘古代狩猎情景的褪色挂毯。至于家具，虽然都是典型的西班牙式古董，却简单实用，并不奢侈华丽。矮重的桌子和餐橱加以锻铁装饰，椅背笔直的餐桌椅座是坚硬的皮革。看起来同样不舒服的长椅，就像套了椅套的教堂礼拜长椅。就连客厅里摆的大钢琴，似乎也是刻意挑选了没有装饰的外形。

天花板也反映了这种朴实的态度，并没有采用一般豪门常见的奢华气派的灰泥天花板，而是让梁木直接暴露在外，与最普通的马略卡农舍一样。楼上的卧房也是，很多都是相通的，而且看不出丝毫奢侈的味道。家具方面，虽然很明显都是上等材料，却几乎朴素得像修道院一般，只有主卧室放了一张有点奢侈的四柱床，不过看起来还是没有铺绒毛被的床来得柔软。

跟庭院的感觉一样，这座宅邸的内部也有种恍如昨日的气氛，呈现的是往昔年代里那种简朴的味道，与讲究舒适的现代已距离很远。此外，虽然这无疑是一幢雄伟的豪宅，可是就只是“房子”而已，比较像被小心保存着的、对昔日的一种了无生气的回忆，而不是一个可以快乐住在里面的“家”。

佩佩带我们回到中庭，登上我猜是通往仓库的石梯，也许那是存放稻草甚至麦仁的地方。结果真没错，这是个很大的仓库，可是里面空空荡荡没有储藏任何东西。这时佩佩开口对我们解释。

他说，当他还是个孩子的时候，在农场工作的人，大概有十一个家庭，都住在这些可以俯视中庭的简单宿舍里。这就是他们的家，虽然谈不上舒适，却是许多人一生唯一的归宿。在苦行僧般的生活条件下，这些家庭却很安于他们的命运——当然，庄主总是会提供生活所需的，这个农场的主人一直是很好、很公平的雇主。我们陪佩佩站了一两分钟，他沉默地回味着已经一去不复返的旧日生活，那时候眼前这些无声的农舍，一定从早到晚生气勃勃，开展着各种活动。

“跟我来！”最后他终于平静地说，“我要带你们去看一个很特别的地方。”

佩佩带我们回头穿过中庭，他带头登上阶梯，经过一道圆拱门，我这才注意到上面有个露天的小钟塔。佩佩推开沉重的橡木门，取下帽子，招手要我们跟他进去。这是个小礼拜堂，简单至极，可是也许是我所待过最令人感动的祈祷之处。佩佩在祭坛前低下头，上方壁龛里的圣母马利亚小雕像慈悲地垂视着他。我们退到后面，让他沉浸在肃穆的敬畏中。

当他终于抬起眼睛时，眼眶是湿润的。“以前每天早上，”他说，“钟都会敲响，农场上所有的家庭，从最小的婴儿到最老的祖父，都会和庄主一起聚集在这里祷告，然后男人会到田野里去开始一天的工作。黄昏时也一样。钟声会欢迎工人回家，呼唤他们到这里来与家人一起感谢能平安从田里归来。”他微笑着叹了口气，“这就是单纯生活中的单纯乐趣。我真怀念那些日子，先生，那时候这里和其他地方都一样，不只是个农庄或乡村产业而已。那是社区，你在里面出生，结婚，养活一个家庭，度过你的工作生涯，终于年老死亡，你生活的环境里，每个人、每件事都相互依赖着。不错，有时候日子是不好过，可是大多数的日子都很快乐。”

走到庭院外围，佩佩骄傲地带我们看了一些饲养的动物。这些外围建筑就是用来圈养家畜的，包括几个猪栏，里面养着好看健康的猪群，还有一个很大的棚屋，在夏天热得受不了的日子，可以让放牧回来的绵羊有地方遮阴。这时他若有所思地笑着说，他想起一个埃斯堡的老牧羊人，当时佩佩还是个小男孩儿，这个牧羊人相信古代的传统，在每天最热的时候跟羊群一起睡，然后整晚都在野地里陪着羊群，吹着他的风笛，夜晚凉爽的时候就在黑暗中放牧。

除了农庄主屋旁边一小片茂盛得令人妒忌的柑橘林之外，我发现所有看得到的圈地似乎全都种着杏树。佩佩实言相告，曾有一段时间，农场里种植了大量橄榄树，产量之多足以供应安德拉奇镇三十家橄榄油磨坊的运作。可是好景不再，如今几乎到处都是杏树。当然，只有水源丰沛的山谷，例如我们那里，还可以种些果树，如柑橘、柠檬、桃子、杏子之类的，也就是“市长府邸”种植的各类果树。

“可是‘市长府邸’比起这里只是个很小的地方，”我说，“即使如此，我们还经常得拼命赶着工作。所以，也许我能冒昧请问，你和你儿子怎么做到只靠你们自己的人手，就可以经营这么大的地方？以前可是必须由十一个家庭才能做完这么多工作的。”

“噢，我们尽量想办法。”佩佩笑起来，“我们没想生产得像从前那么多，而且机器也帮了一些忙。此外，我们很容易在农忙季找到临时工来帮忙，主要是在杏树收成的时候。”

他带我们回到中庭，然后从主屋穿过拱门进入对面的一扇门。

“现在你们必须见见我太太。”他说着把我们介绍给一个身着花罩衫、和蔼可亲的娇小妇人，她正忙着在一个柴炉上烘焙食物。这是一个相当狭窄的厨房兼起居室，与我们刚刚参观的大房子形成强烈对比，然而这里却散发出一种温暖愉悦的气氛。苏沃太太把手上的面粉擦掉，热情邀请我们在一个擦拭得发亮的松木桌前坐下。空间刚刚够四个人容身。其中两个座位较局促，但舒服简单的椅子靠近温暖的壁炉，壁炉两边的架子上整齐地放着一排陶制盘碟。很明显，佩佩和他太太选择这个平常的休憩处作为日常起居室。他们放弃了装饰优雅的主房，宁愿在这个简朴的农舍厨房里享受日常居家之乐。

佩佩透露说，他太太为我们准备了很别致的小点心。他笑着露出期待的神色，看着她从烤箱中端出一盘手指状的小饼干。

“马纳科尔的叹息”，她微笑着告诉我们，是一种代表性的精致食品，用的是摩尔人的食谱，由杏仁、柠檬皮和香料做成，最早是从本岛东部的马纳科尔镇传来的。我不得不承认，这个了不起的发明一如它浪漫的名字，入口即化，让人回味无穷。

可是，一面品尝着甜点，我的好奇心又忍不住冒出来了。我急着想问佩佩，为什么他要工作得那么辛苦，为什么要选择住在这狭窄朴素的一隅，却把拱门另一边宽广无边的豪宅大屋放着不用。现在我还忍不住想知道，为什么他太太要自己做厨房里的工作。虽然她显然很乐在其中，但一般妇女处于她的地位，通常都会期望有人帮她料理家务。没想到佩佩竟省了我来问的麻烦，毕竟这是涉及隐私又难免让人尴尬的唐突问题。

“彼得先生，你喜欢埃斯堡农庄吗？”他问。

“是的。这里非常壮观。你真幸运，佩佩。”

“你想把它买下来吗？”他出其不意地问。

“这个嘛，是的，”我吓了一跳，舌头几乎要打结，“我是说不会，可是，当然，我很想买。不过，我认为，价钱可能有点超出我的能力范围了。”

我盯着佩佩，想从他脸上看出他是不是在开我玩笑。可是很显然他认真得不得了。他太太也是，跟他一样，正满怀希望地探索着我脸上的表情。

我干笑一声，告诉他们我必须先赢了彩票，才能动念头买这么大个庄园。

可是佩佩没那么容易罢休。他说，这房子虽然很好，可是已经老旧了，而且冬天没有中央暖气，夏天没有空调。这些都会反映在房价上，就像土地的价钱一样。这么大的干燥农地，每公顷的价钱绝不会像密集种植、有水灌溉的“市长府邸”那样。

“不错。”我吞吞吐吐地说，“可是你把每公顷便宜的价格乘上埃斯堡这么大的面积，最后得到的数字还是会让我的银行经理闹自杀……大笑到死的那种。”

“什么？”佩佩马上问，没听懂我英文的喃喃自语。

这真有点为难。虽然佩佩显然很急切，可是就算我真的想在马略卡购置像埃斯堡这样的农业资产，这也真的大大超过了我的财务能力。我向佩佩夫妻这么解释，也能看得出他们眼中失望的神情。我等了一会儿，然后鼓起勇气提出一个很明显的问题：为什么他要把农场卖掉？

佩佩继续看着我，期待的表情变成难以置信的神情。他和妻子交换了一个眼色。

“对不起，先生。”隔了一会儿，他说，“我希望你不要认为我们太失礼，可是你的问题表明你有点误会。你知道，埃斯堡并不是我的。”

“可是……可是你说你是这里的农夫。”

佩佩皱起眉头摇摇头，失望的表情又回到脸上。“我的确是埃斯堡的农夫。”他强调，“可是在马略卡，在这么大片土地上耕种的农夫只不过是为地主耕作而已。地主甚至并不住在农庄里，也许在城里另有职业或生意，也许根本远在西班牙大陆。”

现在，真相终于渐渐明朗了。

佩佩继续指出，在这种情况下，耕种者对地主负责、经营整个农场，是很常见的做法。耕种者，就像他，或领取微薄的工资，或从年终获利中分得等值利益——如果年终真能获利的话。地主也可能要求耕种者永远住在属地上，就像佩佩一样，由地主免费提供一个适当的住处。

我终于了解为什么佩佩和他儿子会那么努力打零工了，而他所面对的庞大困境也变得一目了然。

佩佩把我从思绪中拉回来。“你知道吗？”他说，“如果目前的地主把埃斯堡卖给不需要我服务的人……”

“你就会丢了工作？”

“既没工作也没了家。”

我现在能体会为什么佩佩带我们参观农场时，常会那么伤感了，特别是当他带我们看以前工人家庭住的集体宿舍，尤其是那个小礼拜堂的时候。埃斯堡和它所包含的一生回忆，对他而言是那么亲密深刻，我看得出，即便只是想到要离开这个老地方，几乎就要令他心碎了。

“佩佩跟我提过你们的儿子。”苏沃太太说，努力装出愉快振作的样子，“他告诉过我他们是多么好的工人，”她热情地点着头，“就像他们的爸爸妈妈一样，对不对？所以啦，想想看如果他们能到埃斯堡来有多好！大房子里有足够的房间，他们结婚生子后一样住得下！这样对经营农场也很好！有你们全家陪着佩佩和我们的儿子米格尔，还有米格尔的小家庭一起工作——天哪，简直就像回到过去的老日子似的！”

多希望我能想出办法和她一起做这个梦。这实在是个再好不过的梦了。佩佩和他太太实在令我们受宠若惊，向他们解释原因我们真是于心不忍。虽然我们十二万分愿意，但实际的财务状况却让我们无法抓住他们提议的这个大好机会。我们的主人温文有礼地接受了我们的解释，祝福我们生活快乐，并欢迎我们随时再来玩。

虽然我们在埃斯堡拱门前和佩佩热情地握手告别，并欣然互道“再见”，但我们心里都有数，这种表面的愉悦完全无法掩饰心中的伤感。我和艾莉只能希望他们的主人会为这片地产找到一个善解人意、值得尊敬的买主……

或者，说不定哪天我们真的就中了乐透！

8

龙穴里的意外

又是一个周六，查理早上有场校际篮球赛要打，是他们班队对抗来自波特努斯的美国学校队，波特努斯距离他的学校不远，那里可以俯瞰帕尔马市西海岸。森迪声称自己很有兴趣看看他弟弟在球场上出丑，所以答应开车载他去，之后我们再碰头一起吃午饭。天气很好，我们都同意最好找个临海的餐厅，所以艾莉和我开车来到埃斯堡车道下方时，就照原计划右转，驶往渔村圣艾尔姆。

原本只有一些弯弯曲曲的路通往马略卡西南角那些快速发展的海岸城镇，现在道路大多已经修直拓宽，以配合夏季游客不断激增的交通需要。不过这条通往寂静的圣艾尔姆的路对于还不太习惯的司机来说，仍然是个不小的挑战。路面虽然铺设保养得很好，但更像巷道而不是道路，有些地方刚刚只够两部车紧贴着通过，也只有在这里大家才会小心驾驶。不过我们以前就走过这条路，而且惊艳于沿途无边风物，所以对于路上可能遇到的小小交通障碍，也觉得值得冒一冒险。

刚刚驶离安德拉奇镇，很快就出了山谷，道路开始盘旋而上，穿过莫林斯和萨丰特两个山脉之间崎岖的隘口。在盘旋蜿蜒的急转弯处迎面遇到一辆忽然冒出来的旅游车，这情景一定是你祈祷千万不要发生的噩梦。不过我们想过，现在才刚刚进入旅游季节，遇到这种状况的机会应该少之又少，幸好这个预感现在被证实并没有错。另一件幸运的事是，一部摇摇摆摆的老旧雪铁龙 2CV 咔啦咔啦地在我们前面艰难爬坡，虽然屁股后面冒的黑烟简直像一部柴油机在喷气，可是它还是奋力保持在我们前面一段距离，让我偶尔可以把眼睛转离路面欣赏一下风景。

虽然我们沿途经过特拉蒙塔纳山脉的余脉，但这里的山势距离我们是那么近，慑人的雄伟气势简直令人屏息。道路两侧的松树和橡树林高耸入云，贴近山缝中露出的烟灰色和鲑鱼红的岩石，简直就像是从岩缝里长出来似的。打开车窗，空气里永远飘浮着杜松子、百里香和各种令人陶醉的香气，路边野茴香丛中蟋蟀的叫声则与婉转鸟鸣应和着。好像要证明夏天已经上路似的，小石榴树沿着路边蜜蜡石墙到处蔓延生长，树上已经闪烁着星星点点的深红色小石榴花了。

越过隘口，曲曲折折行至萨拉科，这个村落所在的广阔肥沃的盆地令人联想到马略卡的一景："睡穴"。道路继续穿过一个溪谷，溪谷一侧是林荫蔽日的松树，另一侧则一直向下倾斜，延伸至一个细窄的峡谷。竹林掩映着山谷中的溪流，小溪边肥沃的土地像银色丝带一样向外伸展，沿着小溪通往目的地——大海。

虽然圣艾尔姆村也多少受到了旅游业贪婪发展的污染，不过因为地处小海湾边缘，发展受到局限，所以这里仍是个自然风景极为美丽的幽僻胜地。海湾从村庄入口处的楔形金色沙滩往外，冲刷出巨大的新月形海滩。远处蓝绿色的海水三面环山，灰棕色的悬崖垂直插入海水中。不过只有在经过靠近港口的狭窄街道时，人们才能看到这偏僻海岛一隅最震撼的美景。

我们把车停在一个小巷后头，这里人迹罕至，只有两只看起来不怎么友善的猫在低矮的白色房子外面，对着装满垃圾的塑料袋龇牙咧嘴地叫。不过我们终于松了一口气，因为带着海水咸味的空气中，可以闻到浓浓的烤沙丁鱼香味。这是个好兆头，表示虽然旅游旺季还没有真正开始，但港口附近的酒吧餐厅却至少有一家可能正在开门做生意。我们比和森迪、查理约定的时间稍微早到了一些，这样很好，我们可以慢慢欣赏一下宜人的风景，不必因为担心孩子们会饿坏而匆匆奔向餐厅。

走到巷子尽头，海景尽收眼底：从左边沿海湾伸展出去的大片海岸，一直到右边圣艾尔姆村西边天际明显可见的岛屿——龙岛，那里点缀着小小的树丛，像一座横卧的石像，或一条龙，随你怎么想象。这时正好有浓雾遮挡在岛峰下面，使得这个遗世独立的龙岛奇迹般地飘浮在晴朗的天空中。这情景令人联想起这一带散发出来的神秘气氛，曾激励特拉普修会的僧侣在俯视大海的偏僻崖顶修建萨特拉帕修道院，如今修道院虽已倾毁，但那条艰险崎岖的山路仍在村子的北边。

直到不久前，进出岛上这一清静角落最简单的方法还是搭船。当然，人们可以轻而易举地想到，现代企业很快就嗅到了这里隐藏的商机。今天这个村落杳无人迹，但是不出几个礼拜，甚至几天，首班一日游的船只就会从帕尔马开来，船上坐满了赶来吃喝的度假游客，在此下船只待上一顿午饭的工夫，然后喧嚣的游客就会返航，回到他们下榻的海岸假日酒店。不用说，这当然会给圣艾尔姆习惯安静生活的居民带来很大的冲击。但生意归生意，粉碎了宁静却带来了不错的利润——至少对两个本地家庭来说确实如此。

“渔夫餐厅”这个名字取得再恰当不过了，因为它真的是由一间老渔夫小屋的底层修建改造而成的，旁边紧邻着的另一间同样是改装的海景餐厅。这两家不起眼的餐厅就坐落在防波堤阶梯上面，方便饿了的游人一上来就能找到吃的。在这两间石屋和大海之间，只有一个搭了棚盖的小广场，两家都把它用作狭小室内餐厅延伸出来的露天场地。这真是两个夏日金矿。当然，对于自助旅行的游客来说，他们可以躲开高峰自由安排时间。通常在两家餐厅都可以尝到新鲜海味，菜式简单但烹调美味，而且可以在千金难求的美景中悠闲地细细品尝。

我漫步穿过空无一人的小广场，眺望着小防波堤以及海边梯形小丘下方的木阶式船架滑道，滑道连接着小船屋和不时轻拍岩岸的海水。这一定是本地渔夫每天出海捕鱼前常会眺望的景色，直到“进步”带来了更有利可图的海鲜生意。海湾外，几艘船桅高挂的游艇和曲线优美的小渔船在停泊处悠悠摇晃着，不见有人在船上，船尾金红相间的旗子在无风的空气中软软下垂。一种让人欣慰的寂静在此弥漫。也许有人会说，这是游客带来的喧闹暴风雨之前的短暂宁静。

“他们来了！”艾莉指着马路尽头转弯处说，我们的小西雅特熊猫正停到路边。

森迪满面笑容地先下了车，后面跟着表情憔悴的查理。我向他们做手势，表示我们马上会到停车处的餐厅和他们会合，那家餐厅看起来好像正要开门。

蜗牛餐厅高居港口，尽览圣艾尔姆海湾的无边美景和开阔海域的小岛埃斯潘塔列岛。虽然今天并没有观光船只，但不少小船已经出现在海岬附近。晴朗的天气把船主吸引到他们喜爱的港口，与家人共享午餐。

几分钟后我们就与孩子们碰了头，他们已经在餐厅里找了一个靠窗的桌子坐下了。这里明亮通风，一个有趣的特色是它拥有一个“画廊”，在后墙上展示了一些本地艺术家的绘画（都标明了售价）。男孩当然对这些艺术品毫无兴趣，食物才是他们最热衷的目标。

“篮球赛还好吗，查理？”我先发问。

“嗯，还不错。”他嘟哝着，眼皮都没抬一下，继续反常地审视他的手指甲。

我看了森迪一眼想知道怎么回事，可是他只是耸耸肩，撇了一下嘴角。

艾莉一如平常单刀直入。“你的新球鞋怎么了？”她说，责怪地指着查理一直努力想藏在桌底下的脚，“你看看这双鞋！脏成这副样子，而且全都磨破了！我记得跟你讲过不要穿这双鞋打球，尤其在碎石柏油的球场上！”

现在轮到查理耸了一下肩膀，不过他同时沮丧地低下了头。“我只是想穿出去看看。”他支支吾吾的。

“干脆点，告诉他们吧。”森迪咧嘴笑着，显然对弟弟有了麻烦而感到幸灾乐祸，“反正体育老师也会跟爸联络的。”

侍者前来为我们点菜，让查理争取了两分钟缓刑时间。

海鲜饭是公认的西班牙国菜，做得好的话是人间美味，做得差就会让人难以下咽。虽然都是以米饭为主的菜肴，但多数西班牙人都会同意正确的烹饪方法只有一种，蜗牛餐厅的主厨正是个中高手。当然，由于配料和制作方式比较复杂，一份讲究的海鲜饭如今并不便宜，所以两个男孩更有理由点这道菜了。为了不落人后，艾莉和我决定跟进。侍者告诉我们这道菜要花三十分钟准备，这通常是菜肴不会偷工减料的好兆头，不过这么一来查理就有足够的时间好好解释一番了。

“怎样？”我旧话重提，指了一下他磨破的球鞋，这是最近他们学校同学中间很流行穿的超贵名牌。

“有人踩我的脚。”他吞吞吐吐地说，“一个德国佬。”

“只有一个德国人？看起来简直像有一整个德国装甲部队从你脚上开过去似的！”

森迪咯咯笑起来。

“我们在等你的回答，查理。”艾莉说。

他又得到了一次缓刑机会，这回侍者回到我们的餐桌前，送来一篮硬面包、一碟蒜味沙拉酱和一盅冒着热气的炖蜗牛。

“这是本店的招牌小菜，”他笑着说，“让先生、太太和两位公子在海鲜饭上桌前有点事做。”他拿出一些木制牙签，好让我们从壳里挑出蜗牛肉，“本店招待！”

“你们男士尽量用。”艾莉等侍者走远了之后说，“蜗牛？”她打了个哆嗦，“啊！总是让我联想到鼻涕！”

“哇，好棒！”查理很兴奋，毫不迟疑地拿起牙签开始动手，“哇，我真等不及了！”

“我们也等不及要听听你的球鞋到底出了什么事。”我提醒他。

“嗯……好吧，”他的声音很不情愿，沮丧的表情把食物带来的兴奋一扫而空，“他踩在我的脚趾上，故意的，踩了两次。”查理现在用力朝蜗牛的空壳里面瞧，好像想找到一条缝钻进去似的。

“所以呢？”

“所以，我就……把他撂倒了。”

“噢，天哪！”我嘟哝着，“别告诉我你真的打了对手的球员。”

“对手？”森迪喊出来，“才不是对手！那个德国小子是查理队上的！小海因茨。最近的探戈事件你们才见过他的父母。记得吗？”

艾莉和我不约而同叹了口气：老天！

查理故作惊讶地盯着软趴趴、黏糊糊的深褐色蜗牛肉在他的牙签尾部晃动，然后轻声说道：“本来根本不会有人注意到的，要不是本在海因茨摔倒时踢了他一脚的话。”

“本？”我问。

“一个犹太小子。”

“美国队的，是吗？”

查理摇摇头，把牙签上的蜗牛肉放进嘟着的嘴巴里，“不，他也是我们队的。”

现在森迪出场了，他高兴地揭发，后来又有两名查理队的球员卷进这场争斗，一个是阿根廷男孩，另一个是埃及人，几个人拳打脚踢，打得不亦乐乎，让美国队在无人对抗的情况下得了分。“后来裁判一面吹哨子一面把他们拉开。总之，”他继续说，“最后海因茨跟裁判告密说查理揍他。”

“对！”查理附和着，一副愤愤不平的样子，“而且本还说他说得没错，又告诉裁判说他从来没踢过海因茨，只不过在他身上绊倒了而已。”

“裁判？”我吸了一口气，“听起来好像联合国维和部队似的。”

“可不是嘛！”森迪也有同感，“事情还没完呢，查理的死党阿里，就是那个埃及小子，也跟着起哄，对裁判乱发誓，说把海因茨摔倒的是本，不是查理。”

“嗯，”查理惋惜地叹道，“可惜有几个美国队的让裁判站在本那一边。真是见鬼了。”

“可是你本来就应该自己爽快承认的，查理！”艾莉斥责他，“我是说，是你开的头，你就该承认。”

“对啊，可是这样会弄得好像阿里在骗人。”查理解释说。

“他本来就是！”

“可是他很够意思，跳出来帮朋友撑腰。而且，本也说谎。”

“越听越像一场国际政治纠纷，而不是十二岁学生的篮球赛了。”我说。

“海因茨不该乱踩我那么好的球鞋。”查理申诉，“本也不该那么坏。”

“你也不该穿你的新鞋去比赛。”艾莉反驳，“这样所有的事情都不会发生了。”

我几乎不太敢问，可还是鼓起勇气开口。“查理，这场校园第三次世界大战，最后结果究竟如何？”

“真羞死了。我和阿里被罚退场，美国队大胜了我们。结果，你知道的，五个打三个……”

我一直忍着不把这场青少年运动比赛和真实的国际事件相提并论。正好这时海鲜饭上桌了，帮查理逃过一劫。

这次是两个侍者来上菜，其中一人搬着一张铺了亚麻桌巾的小桌放在我们餐桌边，另一人则提了一口传统的双耳海鲜饭平底锅。这口锅几乎跟垃圾桶的盖子一样大，摆放在小桌上亮相。服务之前，两个侍者先退立一旁，让我们欣赏厨师的作品，作为眼睛的盛宴。

我立刻觉得脑中所有关于查理的篮球纷争和烦人琐事不翼而飞了。这道海鲜饭看起来如此漂亮，要破坏这么美丽的展示品简直是一种亵渎。被番红花染成金黄色的米饭中，有一片片兔肉、猪肉、鮟鱇和鱿鱼，里面像珠宝般装饰着豆子和切片的红椒，周围则像花环般绕着虾子和牡蛎。五彩缤纷的食材散发出令人难以抗拒的香气。

“很漂亮，不是吗？”侍者愉快的表情表示他早就料到我们会有什么反应。

接着他又上了几盘新鲜小萝卜、绿色甜椒和柠檬片，才总算是在我们的餐盘上完成了海鲜饭的装饰工作。虽然刚开始时锅的尺寸似乎有点大得惊人，但最后我们吃得底朝天，一点儿不剩，对这道菜的质量可说做了最好的肯定。

蜗牛餐厅的前庭露台除了一株饱经风霜的老松树之外，放眼望去便是一望无际的广阔海洋。午餐后轻松地喝杯咖啡，这里是最完美不过的座位了。

“你看！”艾莉碰碰我的手肘，“看到没，下面防波堤那里！有人在船上跟我们招手！”

没错，一个穿比基尼的年轻女人，我不认识，正站在一艘渔船的甲板上，好像在招手要我们下去。怎么回事，我想不出来。可是她一定是在向我们招手，因为露台上除了我们，其他桌子都没有人。

接着她大声叫着:“森……迪！查……理！”

“你们俩有什么事情瞒着我们吗？”我好奇地问道。

两个男孩还来不及回答，那个女人又叫起来。“我是——约瑟芬！到我们这里来，好吗？叫上你们的妈妈爸爸，一起来！我们去钓鱼！”

这时，一个矮壮、黑头发的年轻男人也出现在甲板上。

“我猜那个人是拿破仑。”我说。

“不是，他叫安德鲁。”森迪说，一面摆出笑脸，一面向对方挥手，“安德鲁和约瑟芬，一对法国夫妻。今天早上我在学校遇到了他们。他们是去帮孩子注册的，然后待了几分钟看看查理的篮球战。很不错的一对，刚刚搬到岛上来，他们说很想跟你们说说学校的事。”

“快点儿！”约瑟芬喊道，“来跟我们一起钓鱼！”

“快下去谢谢他们的邀请，森迪！”我说，“然后告诉他们我们还有事。说真的，我吃蜗牛和海鲜饭吃得太撑了，实在没办法做太费劲的事情。”

“随便你。”森迪说，站起身来准备照我的话做，“可是我想你会有兴趣知道，安德鲁家在做水果进出口生意——法国、英国、西班牙本土，很多很多地方。真是大规模的国际业务。他们还说很快会在马略卡开一个庞大的批发中心。”

我的耳朵竖了起来。“大家准备上船！”我说，突然感到精神抖擞，“我们钓鱼去！”

传统小渔船多在巴利阿里群岛沿海捕鱼，它们漂浮于海上的美丽曲线在昂贵的游船上得以复刻。很多有钱的马略卡本地人宁愿选这种优雅而不露锋芒的船，而非大多数富人所购买的那种无比拉风、速度第一的危险游艇。仿佛有意凸显这两种船的差别似的，我发现安德鲁的小渔船取名为“海之处女”，而停泊一旁的一艘阳刚气十足的汽艇，则毫无创意地取了个暧昧的名字："湿梦"。我很清楚自己愿意登上哪艘船。

安德鲁和约瑟芬不能再热情了。一对三十岁出头的年轻迷人夫妻，具有典型的法国人的魅力，船上的装备也好得令人称羡。船舱布置得很显宽敞，也很舒适，迷你厨房和浴室一应俱全，里面有一张折叠桌。两个年纪还小的孩子正开心地坐在桌旁画蜡笔画——一个是六岁左右的米歇尔，一个是比她小一两岁的弟弟萨沙。

安德鲁一面开启听起来动力十足的引擎，一面告诉我们船要开往远在另一边的龙岛。他说，那是本地渔夫最喜欢的地方，他自己这些年来也多次满载而归。"当然，只是嗜好。"他说，"不必太认真。我们一定会玩得很高兴的，我保证！"

马略卡不仅陆上风物移步换景，我们马上也要见识海上诡谲多变的面貌和脾气了，而且说变就变。正当我们开船驶离防波堤时，一片乌云遮住了太阳。随着光线的变化，每样东西都显得格外清晰、轮廓分明。远处的山岩峭壁似乎比光线明亮时距离更近些，原先蓝绿色的海水因映着较暗的天光而变成了深蓝色。平静的海水变得不安起来，仿佛被突来的浪潮推挤般斜涌向海湾。原先被涟漪轻抚的岩岸滩头，在小渔船隆隆的马达声中也传出一波波浪涛拍击的声音。停泊的船只现在都开始面朝不断冲来的巨浪，这时约瑟芬抓了件披肩裹住她只穿着比基尼的曲线，抵挡冷风吹袭。查理很明显地闪过失望的表情，目光极不情愿地收了回来。

安德鲁似乎感觉到了天气变化已至少让一两个客人惊恐不安。他轻松地耸耸肩，告诉我们不要担心。这只是一时的困难，是地中海打的小小喷嚏，都是季节变化引起的。很快一切又会恢复正常。“不会有问题！”

我希望他是对的，从艾莉紧张的表情看来，她也跟我一样祈祷他是对的。艾莉即使是搭乘海上平稳的大船都会晕船，我很好奇她要怎么招架这艘在近海狂涛中行走的平底小舟。

但是安德鲁好像胸有成竹，镇定自若地慢慢加速朝更远的海面驶去。很显然他对驾驶这艘船早已习以为常。这也可以从他自信的孩子身上看出来，因为我们刚刚起程，两个孩子就迫不及待冲上甲板，坐在船头，两条腿悬空晃来晃去，双手紧紧抓着船舷栏杆，船头浪花一冲上来就开心得大叫。

我们刚越过埃斯潘塔列岛，把海湾屏障抛在身后，太阳马上就从云中钻了出来，好像变魔术似的，海洋立刻又变得几乎完全平静无波了。

“说变就变！”安德鲁边加足马力边大笑着说，“我说过，不过是打个喷嚏而已，不是吗？”

他说得没错。跟之前波涛汹涌的海面完全相反，现在阳光反射出一道道闪亮丝带，在平滑的海面上慵懒地曲折游移，南方飘来薄雾般的微风，轻轻拂过海面，仿佛地中海的呼吸，温和但令人精神为之一振。前方，巍然的龙岛似乎盘桓在海面闪闪发亮的光圈上。而在我们右边，沿着海岸的一排松树间露出零星的房子，仿佛是被冬天暴风雨吹上岸的小盒子。

艾莉和约瑟芬到船头去陪两个孩子，男孩与我则和安德鲁一起站在舵旁，听他讲述家族故事。他在法国出生并且大部分时间都待在那里。所以，他慧黠地推理道，也许我们会奇怪为何他有“安德鲁”这样一个典型马略卡基督徒的名字，对不对？

“是的。”我们说。

这是因为，他继续说，虽然他母亲是法国人，他父亲却是马略卡人，当初他父亲还是个一文不名的年轻人时，曾离开马略卡到法国南部的马赛港找工作。我们都知道，从马略卡出口橘子到马赛已有数百年历史，所以一个马略卡年轻人到那里追求更好的生活一点儿都不稀奇。20 世纪 30 年代，这个岛上的生活是很苦的，那时候的人做梦都想不到如今旅游业会这么兴旺发达。总之，他父亲辛苦工作了好几年，在码头边每天花好几个小时搬运沉重的水果箱，直到有一天，他终于存够了钱，可以回到马略卡买一个属于自己的柑橘园，实现梦想。

“一个快乐的结局，是吗？”安德鲁挑起一边的眉毛，典型的法国人发问时的神情。

“是的。”我们又说。

“错了！”他断然回答。他父亲忽略了一件事，他指出，就是当他背井离乡时，西班牙同胞发动了一场内战。安德鲁耸起肩膀嘴角下撇，仿佛在说："没什么大不了的，这种错误很容易发生。"问题是，西班牙当局对这件事的看法却不同。他们认为安德鲁父亲出走法国南部那么久，而那段时间他本应该回乡和同胞一起战斗的。于是他们立刻没收了他的积蓄，把他送进监狱。出狱之后，他又回到几年前起步的景况：破产并且在战争蹂躏的祖国看不到任何前途。所以他回到马赛，一切又得从头来过。

当安德鲁停下来思索这个伤感的命运转折时，我眯起眼睛看着闪耀的阳光在清澈的海面上跳跃。透过闪亮的阳光我仍然看得到龙岛树丛斑驳的影子，却远不及几分钟前那么清楚了。原先山脚下像海市蜃楼般的光圈，现在扩散上升，把半个岛都遮住了。

安德鲁捕捉到我困惑的眼神。"雾，"他泰然说道，"你们英国人怎么说的，'苏格兰的雾'，对吧？"他大笑。

我只好笑着点点头。雾！接下来还会遇到什么？

眼前的景色有点像个奇异的梦境，太阳在周遭平静的海面上闪耀着，远处的景物被弥漫的雾弄得模糊不清，龙岛山顶的小修道院仍然飘浮在一片云上面，其他地方却晴空万里。海岸线也被薄膜般的湿气笼罩着，放眼望去，我们似乎完全是孤独的，正在一个超现实的海面上航行，四周寂静无声，只有引擎发出单调催眠般的节奏，还有船头激起的浪花轻拍声。

我回想起地中海神话里的鬼怪故事，那是我以前很费力才从古罗马诗人维吉尔的《埃涅阿斯纪》之类的学校拉丁文课上读到的。眼下，在这种怪异幻觉似的气氛中，如果看到蛇发女妖美杜莎或九头海蛇从深海中突然冒出来，我也不会觉得太过惊讶。

安德鲁两个孩子的尖叫声把我从幻想中惊醒。不是突然出现了九头蛇吓到了他们，而是一只海豚。这美丽的生物欢快地腾到了半空中，与我们一起前进，然后毫不费力地乘着船头的浪花在前面引领我们，就在孩子们的脚下游着。很快，又有两个同伴加进来，船的两边各一只，无比轻松地掠过海浪，距离我们只有一步之遥。跟许多人一样，我们曾经观赏过海豚在动物园的水中表演，就像马略卡的“海世界”游乐园，但是在野生环境中这么近看到这些欢乐的动物，完全是不同的经历。

“真是神奇！”是查理的形容，我也想不出更贴切的形容了。知道这些海豚是有意游在我们旁边，而且显然很愉快，使得眼前的情景更特别了。这些光滑优雅的生物脸上带着笑容，眼中闪着顽皮的光芒，跟闯入它们领域的游客玩得这么开心。“真是神奇！”

我们继续看着它们，而安德鲁又捡起话头……

他父亲第二次的马赛体验与第一次截然不同，这次他很快就遇到一个女孩，两人坠入爱河，后来结婚了。很自然，他的家庭在法国生了根，随着婴儿出生，他父亲不得不调整原本打算总有一天要回马略卡种植柑橘的野心。有一家三口要养，想仍靠在码头做水果搬运工存够钱实现梦想的可能性几乎为零。所以他借了一辆手推车，租了一间小铁皮屋，开始经营自己的水果进口公司。

他很精明地抓住了一个做菠萝生意的机会，战后的法国不太容易见到菠萝。他先少量进口，通常只有几箱，抛进西非到马赛的一艘船上，填补舱位。虽然是少量、试验性的开始，但几年之内，安德鲁父亲的企业获利甚丰，生意版图迅速扩展。没多久，他就有足够的钱回到马略卡，但这次不是去买柑橘园，而是投资安德拉奇港口边可以俯瞰海洋的一片山林地，当时安德拉奇还是一个小渔村。当地人都认为他是傻瓜。天哪，一片陡峭的山地和一块嶙峋的海滩，能有什么用处?

安德鲁对这个想法咯咯笑起来。现在安德拉奇港迅速发展成马略卡的圣特罗佩，于是他父亲当初没花多少钱就买下的地方，如今身价暴涨。“真是一大笔财富呢！”他父亲很快察觉到这个地段的潜力，于是先在海边盖了一幢农庄式的自用度假屋，接着又投入大笔资金，在松林覆盖的山上兴建了四栋距离相当的别墅。而这些都早在建筑成本飙升到目前的高位前就做成了。如今，那个地段的一小块地就能要到天价，买的人都是王公贵族、百万身价的电影明星、流行偶像以及超级名模，他们选在那里是想修建奢侈的疗养地。

“所以，现在本地人不会再说你父亲是傻瓜了。”我下结论说，对这个聪明致富、掌握时机的马略卡故事惊叹不已。

安德鲁含蓄地微笑着，但显然对父亲的成就非常骄傲。我感觉到他从小被教养得不会把父亲辛苦赢得的财富视为当然。好像要证实我的感觉似的，他告诉我们他曾在公司里从基层做起，也就是从马赛码头扛水果箱开始，到经营如今蓬勃发展的法国总公司，再进一步在伦敦分公司发展，现在他在马略卡也在做同样的事情。

“你说你以前在这一带水域钓过鱼。”我询问，担心地看着浓雾正把整座龙岛覆盖起来。这个岛已经成功地消失了，如烟似缕的浓雾正围绕在我们四周，阳光微弱下来，带来了湿冷的寒气。

“是的。”安德鲁保证，“我从小到大每逢假日都到马略卡来度假，我父亲总是带我驾着这种小船到这里来。”

我注意到他转过目光看了我一眼，嘴角浮起一抹会心的微笑。

“别担心，”他说，“我不会错过龙岛的。”

我本想告诉他，我不是担心他会不小心错过龙岛，而是担心会直直撞上那个岛。可是我什么都没说。不过我得承认，我对海豚在前面领航更有信心，因为安德鲁在雾茫茫中开船，几乎可以说什么都看不见。

不出几分钟，我们就完全被浓雾包围了，能见度为零。安德鲁毫不在意地关掉引擎，高声叫约瑟芬抛锚。海豚尖叫了几声道了再见就走了。寂静，一种诡异、恐怖的寂静，甚至没有亲切的嗡嗡雾笛声让我们感觉到附近还有其他生物。

“这里是龙穴，我父亲总是喜欢这样称呼这个地方。”安德鲁说，一面忙着分发钓具。

“你是说你知道自己在什么位置？”我问，眯着眼想在浓雾中寻找点什么东西的影子，想证实他所说的，那么大的一个岛其实就躺在我们旁边。

“当然。”他满不在乎地耸耸肩。“龙穴。我们已经到了。”他递给我一根放了饵的线，“不要动！我们必须捉到鱼当晚餐吃，对不对？加油！”

截至目前，我对钓鱼可以说一无所知。从某方面来说，我很羡慕那些爱钓鱼的家伙，他们可以整天不动，悠闲地坐在那里，技巧高超地甩出钓竿，然后叼着烟斗，一面吞云吐雾，一面梦想着随时会出现一条重得把钓竿压成两半的“大家伙”。不过，也许因为这种梦从来没有做成过，所以我也从来没有特别喜爱这种风靡全球的休闲活动。我猜，也许因为我少了一点耐性和用腕力甩竿的天分吧。

事实上，我唯一一次钓鱼经历是在好多年前，那时我在克莱德谷顿足爵士舞乐团担任单簧管乐手。当时正值夏天，我们刚好在苏格兰西岸的阿伦岛上。团里出名的喇叭手马基·希金斯是个热爱钓鱼的胖子，有天下午他一直劝我跟他一起开一艘小得可怜的船去钓鱼。那艘船靠装在船身外面会噗噗作响的马达发动，其实上面应该注明有引发心脏病的风险，因为必须无休止地猛拉一条绳索，可是通常马达只会拼命地震动喘个不停，却一点发动的意思都没有。不过，马基很有钓鱼者那种韧性，尽管我一再表现出一个旱鸭子的惊惧，但一下子我已经置身克莱德湾两英里外，如坐针毡地在深不可测的海上垂下我的玩具钓线。这时我身旁的马基却四平八稳地站在摇摇晃晃的小船上，拿出他最新的高科技比赛用钓竿，炫耀地表演起他高超的甩竿技术，嘴里冷静地咬着烟斗。

“是鳕鱼。”他坚决地说。

“又来了？”

“是鳕鱼。又大又长，像梭鱼一样。有个家伙昨天在这里捉到一条，昨晚在酒吧里面看到的，有六英尺多长，那家伙说他是拼了老命才捉到的。”

不错，看来马基确实有点夸张的习惯。可是天晓得，即使他钓到的鱼只有他说的一半大，想要把鱼拉上来而不翻了这浴缸似的小船，也简直毫无希望。接下来的三个小时，我坐在那里痛斥自己的愚蠢，竟然会被说动加入这疯狂的出游。可是马基还是站在那里继续钓，只偶尔停下来喝罐存量持续减少的麦伊旺啤酒。

快六点时我看了一下手表，这场严酷的考验终于接近尾声了。我们必须马上动身回到岸边，否则会赶不上演出。我告诉了马基。

“最后一竿！”他说，从卷轮上拉了手臂长的渔线准备最后一搏。“有条鳕鱼就在附近，我可以感觉到它就在水里，老兄！”

我对这个人不认输的乐观个性感到很惊讶也很绝望。天晓得他为什么要浪费大半天阳光普照的好天气漂浮在这个荒无一物的海上，而不带着太太小孩回海滩去玩？那个我们从这里都望不到的海滩！我把我的小儿科钓线卷在小线圈上，然后移到船尾准备拉动船身外面的发动索。

“呀咿——咿！”传来一阵疯狂的吼叫，“逮到你了，你这混蛋！”

船身开始剧烈摇晃，我转身看到马基正在跟他的钓竿奋战，他拼命想办法一只手抓住钓竿，另一只手狂乱地卷收紧绷的钓线。钓竿已经弯得快断了。马基脸色发紫，满脸大汗，脖子上暴出的青筋就像他饵桶里膨胀的虫饵。他的左脚抵着船舷，而船舷已经因为倾斜得太厉害开始进水了——进水的速度快得不可思议，我感觉大事不妙。

“小心，马基！”我大叫，“老天，你会害我们两个人都淹死的！”

“鳕鱼！”他大声喘着，拼命地呼吸，“我就说嘛，一定是条巨无霸！”他继续战斗，对我近乎歇斯底里的抗议充耳不闻，“准备好，等这个混蛋一浮到水面，马上把它捉住！”

我担心真正浮到水面的会是我，到时不会换气又没有浮力的我，一定会像个鱼雷一样直坠海底。我开始惊慌地用手把涌进来的水舀出去。

“放了它，马基！让它走！为一条该死的鱼淹死太不值得了！”

“这下子好了，逮到这家伙了！一条巨无霸，够大的，哈！”

马基的钓竿现在变成了一个倒U字——一个疯狂颤抖的倒U字！这钝的一端显然对他将来当父亲有些不利。当他颤抖着憋着最后一口气，肌肉几乎爆裂地对抗敌人时，烟斗也从嘴里掉了下来。

“抓住这个混——蛋，老兄，快！”

我对马上就要看到的东西吓得要死，战战兢兢地探头到船边，一只指节发白的手死命抓住高翘的船舷一边。现在我看见它了。在水底下大约一米长的黑色怪东西，被顽抗小船激起的水波弄得轮廓模糊不清。马基闷声低哼着，歪过头去用力拉扯，那个东西一点点升上来，直到它真正的形状终于不可置信地呈现在我眼前。我把手伸进水里抓住它的长尾巴。

“哇！干得好，马基！”我上气不接下气，“晚上酒吧里的人有得瞧了！”

“真的？”

“真的！”

我从水里把他征服的敌手拖上来。“你看！”我咯咯笑着，大大松了一口气，“你捉到这个该死的锚了！”

当我们围着甲板四周找位子钓鱼时，我告诉安德鲁这个故事，而他就像法国人那样，有点保留地哈哈笑了两声。尽管他的评语只是带点优越感的一句话：“真蠢！”我却注意到他特地在船尾给自己找了个位子——与锚绳相反的一头。

一阵微风吹来，把雾吹得慢慢飘移，隐约可以瞧见一些似远似近模糊不清的岩石影子。可是海洋的情绪也开始变化了。一直在平坦如镜的海面上平稳漂浮的小船，逐渐在起伏的海浪上摇摆起来。渐渐地，可以透过散开的雾看到冲击海岸的巨浪，浪花拍岸的悦耳声总算打破了恍若遭到放逐的阴森寂静。

小米歇尔和萨沙用法语叽叽喳喳地说个不停，互相表示钓鱼是件再好玩不过的事情了，完全不在意眼前天气的变化。显然他们早就见怪不怪了。艾莉正好相反，已经偷偷捂着嘴在反胃，脸色也逐渐泛青了。

“还好吧？”我问她。

没人理我。

查理看起来也有点憔悴了。甚至当约瑟芬帮他把一条饵钩在钓钩上，诱人的乳沟靠近他的脸，都没能让他把视线转离汹涌的海浪。船很明显摇晃得愈来愈厉害了。

"嗨，彼得！"安德鲁说，完全不知道他有两个客人快被晕船摆平了，"你儿子森迪告诉我你有个水果农场，是吗？"

"是的，是安德拉奇北面山区里的一个小农场。"

"你愿意把水果卖给我吗？"

终于谈到重点了！我一直在等机会提这个话题。赫罗尼莫先生是我们截至目前建立的唯一批发渠道，可是他已经告诫过我，我们夏天和秋天的水果，包括柿子、榅桲、无花果、杏子、枇杷等，他的需求量很少，接下来的冬天，他也不敢担保还能吃得下全部的橘子收成。他做的生意很小，主要是供应佩格拉一带的商家，所以收购量总是很有限。

但是安德鲁不一样，他正在成立一个新的分公司，打算通过既有的出口通路做一些大生意。他打算买下所有能弄到手的水果，而且要快。事实上，无论哪一种水果，我们都只能提供他全部需求量中非常微不足道的一部分。"当然，条件是质量必须优良。"

"当然！"我深表同意，几乎无法掩饰提早收到圣诞礼物的喜悦。我们唯一真正的财务威胁解除了，而这都间接拜查理早上在球场上打的一场国际群架所赐。

"这阵风吹得好怪。"我对安德鲁说。

"没什么，不过是地中海天气又打了个喷嚏罢了。"他淡淡地回答，显然把我省略版的英国谚语当成对天气变坏的批评了，"而且，这样视野更清楚了！"

我朝他指的方向望过去。“天哪！”我喘着气，“真吓人！”

看到我目瞪口呆的样子，安德鲁又用法国人那种鼻音笑起来。“怎样，很吓人，是吗？不然你想我父亲怎么会叫它龙穴呢？”

清新的微风已经把原先掩盖住我们和龙岛之间海域的雾都吹散了，只见一片高耸的悬崖峭壁巍然俯瞰着我们，岩壁陡峭得我们甚至无法看到山顶。小船在这么壮观的景象下宛如一个漂浮的小软木塞，原先令我心头涌起的渺小之感，现在变成一种吓破胆的震撼，因为直到现在我才发现我们距离这些岩壁有多近。不超过十米，我想当初穿过浓雾时，只要舵柄的方向有毫厘之差，我们早就是一片残骸了。即使是现在，只要风向有些微改变，我们也死定了，不管有没有锚，小船都会像火柴棒似的粉身碎骨。当然，这只是我的看法，就像一个没有经过大风大浪的人，在浴缸里也会晕船。虽说我对这一切并非一无所知，毕竟我对锚还有点了解。

“很壮观，不是吗？”安德鲁赞叹着。

“不错。”我不很情愿地回答。但是我还来不及说出对我们处境的安全考虑，就听到森迪喊道：“嗨，我好像钓到东西了！”

一定没错，单从他往上拉时鱼线飞快而灵巧的晃动就知道了。

“蝎子鱼！”受难者一出水面安德鲁就说，“我想是这么叫的。很丑，可是很美味。”

真的很丑。一种有刺的红色生物，面孔有如怪物，准能让钟楼怪人心脏骤停。

“小了点。”我说，看着它在森迪钓线尾端跳动着，心想放在金鱼缸里都不违和。

“对，我要把它丢回水里去。”森迪说。

“不，不，不！”安德鲁反对，“你一定要把它留着做海鲜浓汤。哇！棒极了！可是从鱼钩上拿下来时要小心，它背上的刺像利剑一样。”

好像在抗议我们捕捉这可怜小生物的卑鄙行径似的，突然间海浪变得更汹涌了，愤怒的浪潮使船摇晃得非常厉害。安德鲁还在喃喃地念着他最爱的马赛鱼汤材料，我注意看了看艾莉和查理，两人拱着肩膀头垂在船舷外，那感受不言而喻。我很心疼他们，我也有过一两次晕船的经历。当困在一个脚底不断起伏的摇晃世界里，被痛苦的感觉攫住，很少有比那种感受更可怕的了，甚至一丝最淡的柴油味也会让肠胃翻腾得更厉害。

很幸运安德鲁并没有注意到他们的惨境，他好不容易结束了关于鱼汤食谱的冗长演讲，最后的结论是，这保证是一道最棒的海鲜料理了。“只除了另一道，”他想了一下，“当然，那就是昂贵的生蚝了！”

这是艾莉最后一道防线。如果说她一见到炖蜗牛，就会想到从鼻孔里掉出来的恶心东西，那么只要想到生蚝（她喻为大口痰）滑过她的食道，就足以使她作呕了。不仅如此，现在她晕船晕得这么厉害，已经过了犯恶心的阶段，眼下实现大吐特吐了。查理也一样。母子俩肩并肩撅着屁股，为大家表演了一场有教养的呕吐秀，最高兴的莫过于米歇尔和萨沙了，他们捂着嘴嘻嘻哈哈笑个不停。

事情还没完。在查理卓有成效的最后呕吐时，他撅起的屁股放了一个洪亮的响屁，在附近的峭壁间回响，犹如一个迷你响雷，这下两个小孩又是一阵没完没了的哈哈大笑。

“这叫作龙吼。”我腼腆地对他们尴尬的妈妈说。

“晕船啦，”安德鲁笑着，“我想是时候该回家了。”

回程时我暗忖，这真是一趟有趣的旅行，成功建立了对双方都有利的生意关系，或许，也建立了良好的友谊，虽然我们算是毁了主人的钓鱼之行。此外，虽然不这么做安德鲁会反对，但我们也许不该让那条没长大的蝎子鱼离开海洋，所以从某种角度看，艾莉和查理以另外的方式做了补偿，招待了那条蝎子鱼的兄弟姊妹一顿意外的飨宴。这或许可以说是捕鱼的一种因果报应。

向安德鲁一家人挥手道别后，我们踏上圣艾尔姆的船架滑道阶梯，我把这个因果的想法告诉艾莉。她不愿卷入这场辩论。

“查理，你的腿有点不对劲，是不是？”森迪问。

我回头看到查理蹒跚地走在最后面。没错，他走路的样子的确有点怪异。

“是不是打了篮球那一架有点后遗症？”我问，等着他接话。

他摇摇头，沮丧的表情和闪烁的眼神很不搭。

“那你干吗走路走得那么僵硬，嗯？”森迪说。

查理沉默了一下没说话，然后吞吞吐吐道：“记不记得我呕吐的时候放了一个响屁？”

我们全都点点头，准备听到不得不听的话。

“我怕我是用力过头了，崩出了些别的。”查理一面说，一面禁不住傻笑了一下。

艾莉用手捂住嘴巴，抄近路往水边跑去。看来那些鱼又要再度感谢海鲜饭大餐的赏赐了。

森迪拎着已无生命迹象的小蝎子鱼尾巴。“好家伙，你惹的麻烦可大啦。”他嘟哝着，然后把鱼丢给早先在为垃圾袋打架的两只野猫。“我有预感，妈妈很长一段时间不会做鱼汤给我们吃了。”

— 9 —

布袋里的猪——不是开玩笑

老佩普是山谷里最出名的畜农（他乱七八糟的农场院子简直像一艘撞坏的诺亚方舟），对各种动物都很有兴趣并且自封为专家。我们养了拳师犬邦妮没多久他就晃过巷子来“市长府邸”鉴定了。他踱进来时，我正在房子后院教邦妮听口令坐下和不要动。一如往常，他交叉着腿斜倚着门柱，一言不发地观察着一切。

过了几分钟，邦妮显然认为这种起立和坐下的把戏太无聊，于是跑去跟佩普打招呼。佩普一张扑克脸低头看着它，而邦妮好像发现阿拉丁的宝藏洞口似的，拼命嗅着他充满各种动物气味的裤脚，可是佩普依旧把手插在口袋里动也不动。

“这些獒犬真的很会攻击。”他终于开口说话了。

“佩普，这是拳师犬。它是条拳师犬。”

“都一样。呸！我认识的一个人有次被一条獒犬攻击。一口就把他的手咬下来。下颚非常有力。一旦让它们咬住，就连撬杠都没办法把它们的牙齿撬开。”

“也许你想的是斗牛犬。”我说，用手抓抓鼻子想遮住笑容。

“都一样。没什么差别。”

邦妮蹲下来在佩普脚上撒了一泡尿，显然他裤脚散发出来的气味让它认为这是适合的地方。

佩普看着它，仍然面无表情：“最好在它还没有长大到会自己去弄大肚子之前，赶快结扎。村子里有一大堆发情的杂种狗成天晃来晃去……”他顿了一下，用嘴角朝巷子那头高难度地发射了一口唾沫飞弹。“这些混蛋狗，放荡到可以插进枯树干的节孔里干起来。天哪，只要它们一闻到你这条狗发情的味道，一定会蜂拥而来，像牧师绕着唱诗班男孩似的围着它打转。”

说得有理。不过他可能忘了，他自己的宝贝狗佩罗到时候也有可能上门来求爱。顺便说一下，佩罗就算登门来访，也可能傻乎乎地根本搞不清楚自己是来干什么的。话说回来，也许我们还是该认认真真考虑一下佩普关于绝育的建议。

他交叉着腿，继续审视邦妮尿完后又回头嗅他的裤脚。看来它真的很喜欢玩这种狗类的“猜猜看”游戏。我想，这也算是农场狗的一种教育吧，既然佩普看起来好像不介意，我就任它继续玩下去。

“耳朵，”他说，“最好马上弄好。处理得太晚对这种獒犬没有好处。”

“耳朵？对不起，佩普，我不懂你的意思。”

佩普从黑色扁圆帽的帽檐底下瞥了我一眼。“天晓得！一条狗长了副杀人魔的脸，要两个傻里傻气垂下来的耳朵干什么？简直是四不像，老兄！还想吓跑强盗？哈！到时候它会变成一个笑话，连你也一样！”

我懂了。佩普以为我会跟着流行走。包括西班牙在内，很多国家的拳师犬主人都这样，大家会把幼犬的耳朵剪成尖的，让它们看起来比较“凶猛”。我见过几条小拳师犬动过那种手术，被修剪过的耳朵塞了软木塞用绷带绑着，几个星期闷闷不乐，直到耳朵能够自己立起来为止（如果成功的话）。我觉得这种做法就算不残忍，也实在没必要，我相信拳师犬的头不用这样化装就够完美了。而且，我也从来没见过哪条拳师犬像佩普说的拥有“杀人魔的脸”；刚好相反，在狗的外形下，任何被饲养的狗在内心深处都有最温柔、最爱玩的天性。这的确是我的亲身体会，于是我尽可能婉转地告诉佩普我的想法，最后我一不小心加了一句，在英国，修剪狗耳朵是明文禁止的。

他看起来简直气愤得要发疯了。

“英国！”他像放爆竹一样噼里啪啦地开骂，“英国禁止修剪狗耳朵！呸！”他本来要把手从口袋里伸出来，后来想想，还是抬起一只脏靴子对着邦妮剪短的尾巴。“那你是不是要告诉我英国也禁止剪短狗尾巴？”

噢！我完全被耍了，而佩普仅仅看到我让步的表情就够爽了。

“所以，你们英国不赞成为了让一条攻击犬看起来更凶猛而修剪耳朵，”他得意地笑着，品尝着致命一击之前的美妙滋味，“却不介意看到它们走路时，屁股上少了一根挡泥板似的尾巴！”

被他逮到了，非得改变一下策略才能闪开进一步的攻击。于是我说，我们买邦妮不是要它当那种攻击犬。没错，是要它看门，但也会把它当成家里的宠物。

佩普慌张地摇摇头。他摆出照例的谴责态势，对我摇着一根手指头指出，为了教导一条狗去攻击不受欢迎的陌生人，把它当成宠物的想法必须彻底从训练者的脑袋中剔除。“他妈的！”他咒骂着，“如果每条狗给我一百块训练，我定能教会它们怎么保卫主人的财产，战斗到死为止……”

我脑中立刻涌现出两个想法。第一，原来佩普就像很多只重视狗长相的人一样，对所谓的“獒犬”其实都有点恐惧。亲眼可见，他居然在这个品种的幼犬面前，甚至连手都不肯露出来。第二，我很惊讶佩普竟然吹嘘他会训练狗的攻击技能。毕竟，他自己独树一帜的“攻击犬”佩罗，在我第一次潜入佩普农场院子时，先是几乎把我舔死，然后又兴奋得乱摇尾巴，尿得我满身都是。这难道就是佩普训练出来吓退入侵者的狗吗？

然而，我不想在这一点上和他唇枪舌剑，因为我知道自己反正都会输。可是佩普还在盯着我看，等我回应他最后提出的意见。

懒洋洋逛进院子里来的佩罗替我解了围，它还是像平时一样龇着牙齿，舌头滴着口水垂在嘴角。佩罗是条地道的马略卡全能土狗，很像体形高大、骨架厚实的黑色拉布拉多犬，用途广泛，从牧羊到追猎，几乎无所不能。而且令佩普一直赞不绝口的是，它天生血统良好，是个英俊小子。只是天生的悟性注定它不能成为出类拔萃之辈。它停下来，一眼看到邦妮正在嗅它主人的裤脚，马上跑过去，抬起腿在佩普靴子上喷上了速成的“财产印记”。

邦妮以前从来没见过这么巨大的家伙，可是佩罗的出现并没有吓到它，也许因为佩罗一副散漫样子，邦妮反而以为这下子可能有什么好玩儿的事情了。它放低它的头，前腿张开，尾巴竖起来拼命摇着，然后看着佩罗的脸顽皮地叫了一声：“汪！”

佩罗吓了一跳，向后跳了一步，没什么自信地吠了一声，然后夹着尾巴迅速穿过门跑出去了。

“它以后会是一条优秀的攻击狗！”佩普充满自信地点点头，“绝对不要跟这种幼犬玩闹。记住！”

“你好！”身后传来一个微弱的声音。

“嗨！”佩普粗声打着招呼，望着我后面掀了掀帽子。

我转身去看我的另一个邻居老玛丽亚，她正隔着两个农场间的围墙望过来。

“我有重要的事情要告诉你。”她对我说，然后开始用马略卡语跟佩普谈了足足五分钟，讲完后一阵沉默，两人都在思索刚才谈的不知道是什么的重大问题。我唯一听得懂的只有“彼得先生”和“猪”两个字，可见猪和我至少是他们讨论的其中一个话题。

我清清喉咙，提醒老玛丽亚我还在。

“怎么了？”她问我。

“重要的事。你刚才说。呃——你刚才说有重要的事情要告诉我。”

“真的？那会是什么事？”她想要知道。

我耸耸肩表示“天晓得”。

“我看到你养了一条狗。这种狗，对羊不好。”

我还没来得及提醒她我一头羊都没养，她又开始了她一贯的长篇大论，这次是有关养狗的一切大小事情，从如何点一支烟去除狗身上的虱蝇，到最仁慈的杀死幼犬的方法。说到一半，佩普打了个哈欠向我们道了“再见”。我很妒忌他。我偷偷瞄了一眼我的手表。糟了，跟霍尔迪的约会已经迟了，他坚持要我今天跟他一起去买西红柿苗。不过，不用担心，反正他会迟到的。通常每个人都会迟到（除了佩佩·苏沃），我已经慢慢习惯了。

“还有，”老玛丽亚最后宣称，一面用她信赖的锄头砰砰捶着墙加强语气，“你最好还是去买只德国牧羊犬！”说完，她掉头走了，仿佛一切事情就这么搞定了。

“谢谢啦！”我在她后面喊着，“回头见了，玛丽亚！”

好在今天的演讲还算短的，我赶快安置了邦妮，然后走回房子。

“猪！”又是老玛丽亚，她尖锐的叫声直弹到房子墙边，“今天安德拉奇的农场货品部里有一窝刚断奶的小猪。我帮你挑了一头最好的，价钱也很便宜。我告诉里面的经理你晚一点儿会去拿。再见。”

该死的！从老玛丽亚一个月前硬说我需要有头猪开始，我一直拖着没买。现在她狡猾地逼着我非买不可。

“我该怎样既不得罪她，又不必大费唇舌就能从这件事里脱身？”回到厨房后我问艾莉。

“干吗要脱身？拖拉机棚屋旁边有一个空围栏。养头猪不成问题。就像老玛丽亚说的，只要喂些掉下来的水果和剩菜剩饭，它就能长得肥肥胖胖的了。我觉得很有道理。”

听起来相当合理，我不得不承认，虽然这跟艾莉在“魔鬼之屋”餐厅的反肉食态度有点矛盾。不过我们以前在苏格兰的时候也养过几头猪，没惹过什么麻烦。我觉得这次应该也一样，不会出什么乱子。

我开车驶进安德拉奇广场时，霍尔迪正坐在努埃沃酒吧外面。天晓得他唯一准时的一次我却迟到了。

“见鬼的！我还以为你这家伙不来了。”他一面欢迎我一面说。我向他道歉并且解释说被老玛丽亚耽搁了。可是霍尔迪没兴趣听。

“今天早上我做了一笔见了鬼的好买卖。”他打断我说，满意的笑容使他满脸都是皱纹，“不对，是两笔见了鬼的好买卖，老兄。噢，这可是真的。就在霍尔迪的农场上。待会儿我带你去看看。”

直到这时我才看到他面前桌上放着一杯喝了一半的啤酒。霍尔迪沉浸在买卖的思绪中，脸上还带着笑容，伸手拿起酒杯，一口气就把杯里剩的啤酒干了。

“再喝一杯就上路。”他说，转身对着酒吧敞开的门里面喊，“喂，吉列尔莫！给我们两杯啤酒！”

当然，霍尔迪点两杯啤酒没什么不寻常，其实完全正常，要不是几个礼拜前医生才警告他，如果还要命的话就不能再碰酒精。

“放弃橘子汁了，霍尔迪？”我试探地问。

他用手猛拍了一下空气。“呸！见鬼的橘子汁简直毁了霍尔迪的牛肚，”他摸摸肚子，“对我来说太酸了。”那种痛苦的自怜表情又在他脸上出现了。“结果混蛋医生告诉我说，霍尔迪，那就只喝水吧。”他想了一会儿，然后说，“马略卡的水里有太多石灰质，没错，这是真的，害得每个房子的水管都堵住了，霍尔迪的肚子里面也长了很多鹅卵石。”他摸摸肾脏指出他说的部位，“混蛋橘子汁和自来水毁了霍尔迪的肠子。真是荒谬……”

“所以改回头喝啤酒了，嗯？”我说，强忍着没有笑出来。

霍尔迪决定不理会这个愚蠢的问题，转移注意力去看吉列尔莫正放在桌上的两杯中杯啤酒。

“见鬼了，吉列尔莫！”他愤怒地叫道，“我不是告诉过你以后只给我小杯的吗？”

吉列尔莫拿起霍尔迪的空酒杯时对我会心地挤挤眼，这个空酒杯和另外两个装满的酒杯一样大。

“敬你，霍尔迪！”我说，“敬你的肠子！”

霍尔迪举起酒杯，“来，痛快一下！”他眉开眼笑，“祝你一杯下肚，永葆健康！”

霍尔迪的农庄，确切地说应该是菜园，真的只是一块种蔬菜的地和一间放农具的小棚屋，虽然面积很小，但称得上得天独厚。它坐落在开车就能轻松抵达的镇外，是一块相当肥沃的楔形地，坐拥从安德拉奇隘口吹来的清凉空气，又处于山脉屏障下阳光普照的位置。然而最幸运的是它紧邻几乎无限制供应的商用泉水。比起每天抽取数千加仑泉水供应来到井边的大水车，霍尔迪慷慨灌溉菜园所需的水其实微不足道，但还是非常珍贵。看看他种的这些蔬菜长得这么茂盛，就是很好的证明。

“可是我还是需要粪肥。”他一面骄傲地带我看一排排马铃薯、豆子和洋葱，一面苦心地指出，“这就是为什么霍尔迪今天早上捡了这两个大便宜。”

我大感好奇。

他带我走向农具房，这是个依山而建的无窗石头棚屋。

“我有时候会在这里睡午觉。”他打开门锁的时候对我说，脸上挂着期待的笑容，“在这里打个盹很凉快。”

他推开嘎吱嘎吱的木门招呼我进去。眼睛还没习惯黑暗之前，我已经闻到了一股混合了潮湿、汽油、陈年厨房油烟以及动物的气味。黑暗中有什么东西发出了咩叫声，又有个东西咩叫着回应了一声。

霍尔迪用肘碰碰我。“真是桩该死的好买卖，”他咯咯笑着，举起手点亮了一盏悬在屋梁上的煤油灯，“很划算。”

棚屋里堆满了各种工具、粗布袋、锡罐和一个旧式犁田机，还有一个烧煤气的露营用炉子及旧烤锅。霍尔迪一边咧嘴笑着，一边指着棚屋里头，只见两只黑山羊宝宝在地上一个撒满食物的席垫上自在地大嚼着。霍尔迪对于小羊在（我以为）他午睡的席垫上嚼食一事毫不在意，开心地咯咯笑。

“告诉过你吧，嗯？很棒的两只羊，而且非常便宜。这么一来，有了山羊的粪便，霍尔迪的农场就会有最棒的免费肥料了。”

说时迟，那时快，一只羊宝宝慷慨地拉了一摊粪便在他的床垫上。

“看到了吧？”霍尔迪大笑着，“它已经开始工作了。”他告诉我说，在为它们搭个围栏之前，他必须把两只小羊绑在外面的柱子上，然后问我能不能帮他把项圈套在羊颈上，“这两只混蛋羊不喜欢项圈，真的。”

他说得对极了。

他才从墙壁钉子上取下两条旧皮带，两只羊就调皮地互相看了一眼，一起咩咩地宣告了它们的意愿，然后优雅地一跃奔到了门外。等到霍尔迪和我笨手笨脚地跑出小屋去捉它们时，小羊已经奔上山坡远远领先在前，跳舞般跃过碎石，完全无视地心引力般面不改色奔逃而去。我们象征性地追逐了一下，可是很快就认输了。才爬了几步我们就靠着树干气喘吁吁了，两只小羊却从高处的岩石后面嘲弄地看着我们。它们发出最后一声咩咩大笑后就消失了，跃进森林里的自由生活中去了。

“混蛋！”霍尔迪喘着气，绝望地看着手上两个空项圈，

“看来霍尔迪还是得买粪肥了。”

对他短暂的牧羊人生涯来说，这真是很合适的墓志铭。

可是霍尔迪并没有很在意，等我们坐上车出发去买西红柿苗时，关于山羊的损失他就已经完全看开了，又开始大笑、开玩笑、咒骂了，好像这个意外根本没发生过似的。毫无疑问，一路上，努埃沃酒吧的第二杯啤酒已经让他振作起精神，而且他的“牛肚”也没有抱怨，所以管那么多呢！这就是霍尔迪这阵子的人生态度，而谁又能怪他呢？他是那种最爱与人交往的个性，没有什么能比得上和人聊个几分钟半小时的天了。边聊边喝就更理想了。霍尔迪特别喜欢找人做伴，这是在家里缺人陪的后遗症，因为他的英国妻子几年前回考文垂去照顾她年迈的父亲了。所以，除了照顾农场以及在安德拉奇港口接一些游艇的短期木工活之外，霍尔迪最沉迷的，就是待在附近将近半打他最喜欢的酒吧里面，一面找人聊天，一面小酌几杯，两全其美。要他舍弃这种悠闲的生活方式和主要乐趣当然是个打击。不过，霍尔迪就是霍尔迪，试验了一阵子医生的建议之后，他并不喜欢，于是自行选择了他认为最适合的生活，至于他的肠子，只好随它自己看着办了。事情就是这样。谁知道呢？如果他能只喝几杯啤酒，避免和韦恩·墨菲之类的人豪饮白兰地，也许日后可证实他自己的诊断比医生的更好。至少短期内日子会比较有趣，这一点是毋庸置疑的。

班雅尔布法村以种植全岛最好的西红柿而闻名，当然也是可以买到最佳西红柿苗的地方。霍尔迪在那里有个老朋友，据霍尔迪的说法，他可是一位懂得西红柿艺术的专家中的专家。不过霍尔迪提醒我，他朋友并不随便把西红柿苗卖给别人，只卖给像他这种有技术让植物长得最好的人。我应该了解，这是为了保障名誉，维护生产品质。

"那就不要把我算进去，我这辈子一个西红柿都没种过。"

霍尔迪对我眨眨眼表示"包在我身上"，然后向后往椅背一靠，指示我走安德拉奇北边经过埃斯特连克斯的路。

车子穿过松树林一路向上爬行，道路很快就越过了格兰莫拉隘口。我们沿着崎岖的山侧蜿蜒而行，偶尔在树林里歇一下脚，欣赏远处阳光下闪闪发亮的地中海。惊心动魄的悬崖道路盘旋蜿蜒，绕着特拉蒙塔纳的险峻山势前行，偶尔钻进一个短隧道，然后又再度出现。在公路和几千英尺峭壁下的海面之间只有一道低矮的护栏。

霍尔迪一副自得其所的样子，不断赞叹着他出生的岛屿到处是如此壮观的景色："超过见鬼的法国里维埃拉！霍尔迪去过那里！霍尔迪知道！"

我没去过那里，所以我不知道。不过我觉得可以相信他，因为很难想象哪里还会有比这里更令人震撼的景色。

霍尔迪告诉我，这条路通往岛屿北端的福门托尔角，沿途在得天独厚的地点建置了一些观景台。我们穿过埃斯特连克斯村之后，他建议我们在其中一个观景台停下来。这个观景台其实是个古老的岗哨塔，建在高耸的山崖边缘，过了这里之后就可直接驱车前往班雅尔布法村了。这时早已过了正午，回“市长府邸”后还有许多事情要做，我宁愿继续赶路，等以后再找时间欣赏风景。霍尔迪感觉到我的犹豫，却坚定地劝我，该学他一样见鬼地“慢慢来”，把混蛋车子停在他告诉我的地方。

很快我就庆幸他强加给我的“明日综合征”。从塞萨尼梅斯观景台向外望去，果真是世界奇景。即使对有恐高症的人来说，从岗哨塔顶端看出去也会叹为观止。远方整个海岸线的崎岖海岬尽收眼底，从南方的龙岛到索列尔港入口的卡普格罗斯，一直向北延伸过去。现在很容易理解为什么这些哨塔要建筑在这种海岬上了，几百年前这里主要是眺望海盗船入侵的前哨站，沿着海岸线在塔上燃起火把就能传递警讯。

从哨塔矮墙上眺望，自塔基垂直坠下的峭壁让我们难以估计究竟距海平面有多高，反正高得令人发晕就是了：高得往下看时，只见小黑点似的海鸥优游地盘旋在暖风中；高得伸出拇指就能遮住正下方静静驶过的一艘大游艇。然而在我们身后，神奇的特拉蒙塔纳山却耸立得更高，俯视着下面的一切。这真是令人心醉神迷的体验，我简直乐不思蜀，浑然忘我。要不是霍尔迪这会儿居然一反常态，违反了“慢慢来”的原则把我唤醒，我可能还沉迷在狂喜恍惚的状态中。

“好啦，老天！”他催促着，“我们要是不快点儿，霍尔迪的朋友西红柿男托梅乌可能就离开农场吃午饭去了！”

于是我们继续踏上前往班雅尔布法村的赏景之旅。

班雅尔布法村位于莫拉-德普朗尼西山缓坡的一个开阔山谷里，这是马略卡崎岖海岸的典型小村庄，暖色的石屋闲逸地聚集在峡谷里，峡谷陡峭直入隐匿的小海湾中。这里拥有一种很独特的宁静，山的宁静、海的宁静以及纯净的光线总是吸引很多作家和艺术家在这迷人的小社区里居住与工作。不过大部分居民仍是本地家庭，世代相传，学会了一种也许简朴但值得羡慕的生存方式，在农田和海上生活。

班雅尔布法村有一个与众不同的特色，就是拥有非常广阔的梯田，从崎岖的海岸边无止境地向上攀升到最陡峭的山脚。沿着带状沃土砌筑的美丽护墙勾勒出山谷奇特的轮廓，拥抱着每一寸可耕种的农田。

我们登上村庄的入口后，霍尔迪指给我看一个石头筑就的复杂水渠系统，可以把泉水从山上引进石头筑的人工蓄水池里。这些蓄水池巧妙地分布在四处，轮流供应灌溉每一块梯田。按照霍尔迪的看法，班雅尔布法村的梯田足以名列世界水利工程奇迹。而这个充分展现人类智慧的伟大杰作据说要追溯到几千年前，也就是阿拉伯人占据此岛的年代，不过对这一点霍尔迪不尽苟同。

他朋友托梅乌的农场包括了村子上方的几块梯田，我们必须从路口向上爬一段相当陡的石阶。托梅乌六十岁左右，身材矮胖，性情开朗。当我们脚步蹒跚、气喘吁吁地走进他的田地时，他刚刚耙好一畦地。他和霍尔迪用最典型的马略卡方式欢迎对方：热情拥抱、用力拍肩、大声笑着，还不时冒出戏谑的粗话，译成英文可是严格的禁忌词。但在西班牙，它是表示亲密熟识、友善问候的日常用语，或者用作轻微的感叹词，一种两性皆可使用、并不伤人的表述。这是语言差异的一例，虽然我心知肚明，却提不起勇气对西班牙本地人讲，就算是苏格兰人的谨言慎行吧。

两个老友用马略卡语寒暄过后，霍尔迪告诉托梅乌，从现在开始，我们三个之间只能用西班牙语交谈。这个苏格兰人应付西班牙语还可以，他解释着，虽然我对他们岛上的方言“见鬼的一点辙都没有”。托梅乌耸耸肩表示没问题。尽管如此，之后托梅乌说的每一句西班牙语，霍尔迪都忍不住把它翻译成英语。对这种语言才能，托梅乌瞪大眼睛露出羡慕的笑容，这让霍尔迪沾沾自喜，笑得很得意。

霍尔迪向我狡黠地眨眨眼睛后，开始对托梅乌编故事，说这位苏格兰绅士是英国种植西红柿的一流专家，现在在安德拉奇附近有个农场，所以打算在马略卡美妙的阳光下继续发挥自己著名的技术。我一言不发心里直打鼓，霍尔迪却没完没了继续吹嘘我种植西红柿的才能。我暗自祈祷托梅乌不要在这方面问我什么问题才好，幸运的是他似乎对霍尔迪长篇大论的歌功颂德敬畏不已，所以没有插嘴。

“很荣幸你能光临我的农场。”等霍尔迪好不容易结束这篇谎言，托梅乌才亲切地微微鞠了个躬。“来，我带你看看今年的新作物。很希望听听你对这些新品种的建议，抗病力、最佳施肥条件、收成潜力等等。”

“惨了！”我心想，“要出丑了！”

可是霍尔迪立刻上前来帮我解围，也帮他自己解围。

“不行！”他斩钉截铁，抓住托梅乌的手臂阻止他，“没时间。这位苏格兰先生很忙。老兄，他今天大老远跑来是要向你买西红柿苗的，不是来鉴定的。”

托梅乌的脸亮了起来，咧大嘴开心笑着。他喊道，两只手不断拍着我的脸颊。“啊咿——咿！噢噢！”

情况好转。

他热情洋溢地说，能卖给我一些西红柿苗他觉得非常荣幸，然后摆出一副严肃的表情提出霍尔迪之前的顾虑，强调他现在非常在意买卖的对象。只有声誉良好的培植者他才愿意卖。天晓得！两年前他把植物卖给了一个他不认识的人，却发现那个混蛋根本没好好照顾那些植物。结果收成当然非常凄惨了，有些植物甚至奄奄一息。“我想你能理解，这对我的名誉影响很大，虽然这种情形没有人会怪在我头上。”这时笑容又回到他脸上，“不过以你的情形来说，朋友，就没有这个顾虑了。相反，如果你同意，我甚至想到你的农场去拜访一下，学一点儿最新的西红柿培植法，因为霍尔迪说你是这行的专家。”

“谢谢你，”我一面对托梅乌摆出热情的笑容，一面说，“霍尔迪！你可真让我下不了台。”

霍尔迪只抛给我一个“看在老天的分上镇定一点儿”的眼神，然后告诉托梅乌我们的需求，并且提醒托梅乌他的苏格兰朋友非常赶时间，“他还有头猪在安德拉奇等着他。”

“当然当然！”托梅乌笑着说，然后一边一个把霍尔迪和我挽住，“可是你们必须先跟我到农具房里去一下。我有一样很特别的东西要给你们。”

他的农具房同样堆满了工具、箱子和一些农事行头，此外，墙上还钉了一个小的木制橱柜，橱子下面有一个工作台。托梅乌打开橱柜的锁，拿了两个杯子放在工作台上。接着，他神秘地眨眨眼，又把手伸进橱子里，拿出一个细颈大肚的瓶子，瓶颈上有个小圆柄，瓶口有个小软木塞。

我注意到霍尔迪的脸发白。他用英语嘟哝着：“不会是该死的果渣白兰地吧！”

我立刻懂得他在怕什么了。果渣白兰地据说是一种西班牙私酒，显然霍尔迪一想到它肝就痉挛起来。

托梅乌不顾朋友对自身“牛肚”的忧虑，开始把这种有点儿混浊的饮料倒进第一个杯子里，同时向我保证这跟时下酒吧里面卖的那些娘儿们喝的不同，这一瓶才地道。“好家伙！喝这种东西才分得出谁有种谁没种！”

我尽可能礼貌地婉谢我这一杯，因为要开车，有宪警，诸如此类的。我一面尴尬地笑着，一面表示希望他能谅解。

但是他并不谅解。“宪警！”他嗤之以鼻，“理他们干什么？今天到安德拉奇的路上没有通知要临检。”

他说的是此地警察一种很体谅人的做法，也就是在打算执行驾驶员酒精测试的前一两天，他们会在当地报纸上登广告向大众预警。我习惯了苏格兰没那么友善的做法，因此多疑地认为这简直好得有点假。可是对托梅乌说这些理由，他的反应顶多是:“朋友，你现在不是在苏格兰，所以还是喝了吧！”

他继续解释说，虽然马德里那些混蛋制定了新法律，害得人们如今几乎不可能买到真正的果渣白兰地了，不过他很幸运有个老友以前在加利西亚做这行，这人学会了秘方，现在还在继续生产。人家信任他，所以他还能拿到这种真货。“唉！”他惋惜道，“现在老酒厂只剩下蒸馏器了，就在山上，靠近……”他狡猾地笑着支吾过去，然后慷慨地递给我们满满一大杯，向霍尔迪提起过去那些年他俩一起痛饮私酒的美好时光。

托梅乌看见霍尔迪忧郁地望着酒杯，露出不解的神情。“怎么了，老朋友？”他问，“杯子不够大吗？”他安慰地在朋友肩膀上拍了一下，“唉呀，没问题的，霍尔迪！瓶里还多得很。来，干杯！”说完，他碰了一下我们两个的杯子，仰头一饮而尽。

现在霍尔迪该怎么办？我心里嘀咕着。显然他不想对昔日老酒友坦承他被警告要远离这种烈酒，可是健康常识又同时警告他不可以喝。常识还是输了。“干杯！”他说，把果渣白兰地灌进喉咙，竭力克制酒入胃时脸上扭曲的表情。

然后他和托梅乌一起看着我手上仍然装满的酒杯。“干了！”他们齐声道，直盯着我的眼睛，脸上的表情在质问我胆敢不跟他们一起乐一乐。

“呃，好吧！”我投降了，“管那么多呢，干杯！”

我克制脸上表情的本事远没有霍尔迪成功，整个人一阵战栗。原先我想果渣白兰地大概接近初级白兰地，可是味蕾才一接触到，直觉反应是“脱漆剂加上劣质咖啡的味道”。

“真他妈的好东西，嗯？”霍尔迪说。

“呃！”我喘着气，挤挤眼，忍住眼泪。

“再来一杯！”托梅乌咧嘴笑着。

回安德拉奇镇的一路上霍尔迪不停唱着马略卡民歌，我则一直集中注意力，想看清楚三条白线究竟哪一条才是真正的路中心线，免得开到左车道去。托梅乌的再干一杯后来又重复了四次（我记得好像是）。令人惊讶的是，霍尔迪的“牛肚”似乎挺住了这种惩罚。甚至到了努埃沃酒吧外面，当我把他和他的西红柿苗放下车时，他还邀请我“为他妈的一路辛苦再喝一杯”。谢天谢地，我还有事没办，这辈子第一次靠一头猪帮我解了围。

✣✣✣

我不能号称是养猪专家，但是我尚有的一点养猪经验告诉我，每头猪都有不同的个性，每个猪群里也有明确的尊卑次序，如果“尊卑”这个字眼用在我们猪朋友身上没什么不妥的话。

“它是头很棒的猪，不是吗？”农产品部的经理何塞普笑着说。

不错，而且很明显是头排位老大的猪，它正力排众猪从猪圈里面挤出来，站起身把前蹄攀在栏杆上，以便把我仔细看个清楚。这头小猪流露出充分的自信，而且从它脸上傲慢的表情看来，也深为严重的优越感所苦。我以前和这种性格的猪交过手，每次我都难逃沦为老二的命运。但毫无疑问，它确实是这窝猪里的上上之选，所以如果我真想和猪打交道，看来我又碰上个好对手，即使免不了要经历内心的斗争。

我们爬进了猪圈。

“坐在它的屁股上。”何塞普说，“我来绑它的脚。”

第一回合，猪立刻占了上风。我想捉住它却失了手，整个人滑倒在铺了锯木屑的地板上，屁股跌坐在一摊猪粪上。

“别担心，先生。”何塞普说，“不要紧，我来捉住它。

你来绑它的脚。”

现在我可知道了，如果一头猪不高兴，它能弄出的噪声绝对吓死人。毫无疑问，这头猪一点都不喜欢在它的后辈晚生面前出糗，让人骑在它的屁股上，更何况这个绑猪的还是个业余的。号叫声远在帕尔马的人都听得到。

“把它抬起来，先生！”第一阶段竞赛结束后何塞普说，“我们把它装进这个粗布袋里，好让它一路上在你车里不会乱动。”

刚断乳的小猪是最肥嘟嘟、最会蠕动的东西了，五杯果渣白兰地马上从我的毛孔里倾泻而出。好在最后，两个年长的伙伴在旁边看我们手忙脚乱的表演已经笑到快不行了，才出手相助。感谢他们，我们终于合力把这头袋装小猪绑在了我的车子后座。回“市长府邸”的短短旅途中平静得有点不祥，布袋里既没有抗议的呻吟，也没有一丝挣扎的声音。也许因为西红柿苗散发出了某种安抚的香气吧，我乐观地想。

“帮我一起把它抬出来。”我对在后院的森迪叫道，“我们把它从袋子里放出来，然后赶到农具房旁边的猪圈里去。”

“你终于有一头猪了！”老玛丽亚忽然不知道从哪里冒了出来，站在她平常站的地方从墙的那一边望过来，“我帮你挑了一头顶好的，不是吗？”

“对！不过说真的，刚才它还真有点难搞，好在现在似乎没事了。”

大错特错！我刚解开系布袋的绳子，那头猪就像短跑选手似的尖叫着飞奔出来，双脚奇迹般地早已松绑，一个箭步就冲出了大门。

只有天知道什么原因，马似乎不太喜欢猪。我对这一点的了解得自一段痛苦的经历。还在苏格兰时，我们曾有一对逃跑的猪去追受惊的设得兰矮种马，等我们开车追上它们时，已经在好几英里外了。我从此知道猪和小马必要时可以跑得飞快。我并不知道与马有一半血缘关系的驴子是否也患有“恐猪症”。不过我很快就知道了。

老佩普有个习惯，晚上会到安德拉奇镇上逛街。那时商店在午休后又再度开门了。有时候他会闷闷不乐地逛，可是心情特别好而他又想引起广场漫游者的注意时，就会驾着他的驴车，一路神气地站在拖车上，大声“喂唉”着向沿路行人打招呼。我看过他这样好几次，而我必须承认，他真的冲得很快，尤其当他成功刺激驴子开始疾驰的时候。

谁知道怎会那么不巧，就在他刚刚驾车驶出他的农场大门时，逃跑的小猪也刚刚跑出我们的大门。驴子才瞥了猪一眼，前腿就高高举起，几乎把老佩普从拖车向后抛出去。在猪的火热追逐下，驴子沿着巷子急速狂奔。森迪和我也展开追逐，可是远不及惊逃者的速度。到了路口时，吓坏了的驴子右转朝村子方向奔去，全速冲向大街，把后面拖车里的佩普颠得七荤八素，拼命抓着缰绳活像是狂野的查尔顿·赫斯顿。而那头猪则向左转，越过一道矮墙，消失在山边浓密的丛林里了。

我们再也没看过那头猪，但确实听到谣传说，有一支梦幻队伍，包括两头小黑羊和粉红色同伴，在夜黑风高的晚上入侵偏远的山间农庄寻找好吃的东西。我深谋远虑之下还是决定不要去查证故事的真实性比较好。甚至老玛丽亚也不再提我们该养头猪的事了，也许是老佩普在驾驭战车进攻小镇的耻辱事件之后，警告过她不准再提了。

— 10 —

眼下之事

我们选择种西红柿的地点主要考虑三个因素：其一是有一排无花果树可以遮阴，保护西红柿苗不受夏天强烈阳光的照射；其次是距离灌溉水源不太远；其三是（我觉得这是最令人高兴的一点）地点就在托马斯和弗朗西斯卡·费雷尔夫妇小农庄的正后方。

有一天，我们都各自有事在外，结果第二天早上拉开二楼卧室的百叶窗，艾莉就发现从窗户看出去的美丽景致有了两个丑陋的污点。我们巷子的围墙据说从罗马时代就在那里了，底部宽六英尺，十二英尺高，原先是个水道，能把山上

的水引到老磨坊，而费雷尔家正在大兴土木把老磨坊改建为周末度假小屋。我实在不能理解，怎么会有人想在无价的历史古迹上安装难看的水塔和卫星天线呢。可是事情真的就在我们不在家的一天里发生了，更别提这堵墙的一部分就在我们这边的土地上，虽然也和费雷尔家的房子毗连，可是他们正好看不到。

有阵子我们一直有种感觉，我们的周末邻居虽然早已愉快地接受了我们的购屋款，却仍然觉得房子是他们的。我们会这么猜疑，是因为有一次森迪正好感冒躺在床上，艾莉和我开车送查理到学校去参加周末早上的体育活动，后来森迪告诉我们，我们才刚离开，他就听到费雷尔家的人在我们屋子里走动，还随意评论我们对房子做了哪些变动。更糟糕的是我们出门时已经把门上了锁，这表示费雷尔家在交屋后确实偷偷保留了一把钥匙。

这件事很难让我不火冒三丈，可是既然屋里的东西都没少，艾莉劝我就别再追究了，甚至不要去张扬我们知道了他们背地里做的事。既然我们置身在这个暗流涌动的紧密社区里，最好不要冒险与人结怨。这是艾莉对这件事情的看法。只要换一把锁，以后多留意费雷尔家的人就是了。

当初我们买这个农场的协议是，我们先买下当时允许外国人在岛上拥有的最大面积农地，一旦法律放宽，费雷尔家承诺会尽快卖给我们更多的土地，包括老磨坊在内。因此在取得农场所有权几个月之后，发现费雷尔家竟然已经动手改建老磨坊时，我们非常失望。更糟的是，原先的建筑物现在都已荡然无存，古代的石材建筑正遭破坏，让位给毫无特色的通俗建筑。在马略卡，即便是广受支持的古迹修复都必须受到严格的法律监督，破坏古迹当然更是明令禁止的，除非情况特殊。所以，我们很怀疑，托马斯究竟用了什么办法获准进行这样的恣意破坏。

由于托马斯在地方上稍有点“小气”的名声，所以我们一搬进“市长府邸”，他马上表示愿意分摊一部分电费时，我还颇感意外。他的建议是，他愿意依照拖拉机棚屋里的农业电表记录，负担所有农业用电的费用，而我们只需要负责装在屋里的家庭用电的费用即可。根据他的说法，在电力公司供应他们家庭用电之前，他的小农庄唯一可能用电的方式，就是在我们的农业电表上转接电缆。当时我觉得这似乎是很合理的安排，倒不是因为能立刻为我们省下什么钱，因为除非灌溉季节来临，我们得开始用马达打井水，否则是不会产生可观的农业用电的。而今年这个季节几乎就要到了，节省的托马斯先生如果不尽快解决他的问题，他的荷包可就惨了。

当我提醒他这件事时，他只耸耸肩说：“没关系。”今天，我向他提出他在古墙上装设水塔和卫星天线的事时，他的反应同样满不在乎：“没关系，我会出钱找工人来把那些东西移到别处去的。”

事情不太对劲。有一次跟老玛丽亚的胖女婿豪梅隔着墙聊天时，我就向他提起这件事来。

“唉呀，彼得先生，”当我把话题转到这上面时，他说，“这件事，你最好还是睁一只眼闭一只眼。”

豪梅是个退休的酒店服务生，一辈子都在帕尔马最豪华的酒店之一工作，所以他唯一娴熟的经验大概只有酒店里的一点儿外交手腕。虽然他宣称对自己出生的这种“乡下小地方”没什么兴趣，可是我观察他帮老玛丽亚处理农场上的事，却足以作为典范。所以我相信，关于托马斯为什么花钱却满不在乎这档事，他一定能帮我看出一点端倪。有趣的是，虽然豪梅平和的个性让他在我面前从来不对别人说长道短，可是这一回，我只不过稍稍鼓励了一下，他就忍不住松了口。

他小心翼翼地左顾右盼了一下，凑近我小声地说：“彼得先生，其实他在做犯法的事。”

终于有点儿眉目了！我催他继续说下去。

他解释说，电力公司对农场实施的是两种收费价格。宅舍是一般都市的价格，农业用电则是特别便宜的价格，因此需要两种电表，同时禁止将农业用电作为家庭用电。

我渐渐了解是怎么回事了。“这么说来，为什么电力公司过了那么久还不来帮费雷尔家装设家庭用电呢？我的意思是，拖得越久，电力公司损失越多，而且看起来不像是电缆没经过费雷尔家的缘故。”我本来想说听起来又像是“明日综合征”，这拖得也太离谱了。转念一想还是不说为好，因为豪梅自己的“拖功”就是一等一的。

他似乎真的很不想再透露什么了，可是想了一会儿之后，他耸起肩膀开口道：“说真的，我不想在背后说人是非，可是，朋友，这件事就算我不说，别人也很快会说的。”

“说嘛！”我等不及了。

豪梅又凑近一点儿，用更神秘的神气说：“你知道，你必须提出兴建新屋计划许可书，电力公司才会供电。”

终于水落石出了。忽然间每件事都变得清清楚楚。很明显，托马斯决定与其麻烦又花钱地去申请改建石磨坊成住宅，不如铤而走险，借着他在当地政府的崇高地位钻法律空子。几年前，他在“市长府邸”安装所谓的化粪池时就是这种态度，结果我们很快就发现了，并为此付出了代价。也许他的想法是，既然那时候都蒙混过关了，现在何妨搞得更大一点儿？

“他可是冒着房子会被拆掉的危险的，”我说，“建管局到处都有耳目。”

豪梅没说什么，可是微微上扬的眉毛意味深远。

“如果我忽然决定不再让他用我的农业用电，或者我向电力公司检举说他偷电，那他怎么办？”

豪梅从眼镜边缘望着我，严肃地说：“唉，彼得先生，可是你忘了一件事。”他敲敲鼻侧，“费雷尔先生很会看人，他知道他的邻居人太好了，不会做出这种事。”

“嗯，应该说他认为我是个太好讲话的邻居吧。这提醒了我，豪梅，我还有西红柿要种。”我对他热情地笑了笑，并且在他肩膀上拍了一下，“再见，谢谢你告诉我这些。我们走着瞧，嗯？”

“等等，”他在我身后急切地喊道，“跟托马斯打交道时别忘了一句关于蛀虫的俗话：刚开始他只蛀一个小洞，可是假以时日……”

我挥挥手表示听到了他措辞隐约的忠告。不过他不用担心。我对他的暗示完全了然于心。

霍尔迪和托梅乌已经教会我应该如何正确种植马略卡式西红柿（当然是在几杯烈酒已下肚之际），于是森迪和我遵照指示一一奉行。我们先驾着小拖拉机在已经翻过的土地上犁出一道道浅畦，然后小心翼翼地在浅畦两侧隆起的土脊里种下植物，仔细丈量距离，再栽种下一排。重点是植物必须栽入隆起的土脊里，这样灌溉畦沟时，植物的根部才会努力向下生长以汲取养分，植物的梗才能保持干燥不腐烂。

尽管有无花果树斑驳的荫庇，早上的阳光仍然炽热难耐，我们选择的这块地偏处农田一隅，一边有高耸的古墙遮蔽，另一边则是费雷尔家新建的度假小屋后方。虽然工作并不很吃力，却真热得让人受不了，两百株植物还没种完一半，森迪和我就暂时撤退，回到屋里把牛仔裤换成短裤，直到此刻我们才第一次觉得有此必要。

可是，我们惨白的苏格兰腿在这片颇具异国风情的柑橘园里实在很不搭调，我想我们都暗自希望没人会看到我们。尽管如此，继续种西红柿还没一会儿，我们就不得不脱下上衣，露出牛奶瓶般可笑的上半身。到了这种时候，我们满脑子禁不住在想，如果能在游泳池畔啜饮一杯冷饮该多美妙，就像岛上那些不那么具有“冒险家性格”的英国佬现在最盛行的做法一样。然而，幻想归幻想，一大堆工作还是得做。

种完西红柿后，我们得去拿一捆在山谷干涸河床边砍下的野生竹子。竹竿必须每隔一段间隔绑成十字状插入整排浅畦中，然后再依水平方向把每排竹竿相互连接，直到整片竹架像帐篷骨架似的搭建起来，这样就可以在西红柿苗结果时提供必要的支撑了。

“行了，”大功告成后我说，“现在，我们来让它们喝个痛快。我去打开下水管开关。”

“你真要这么做？”森迪大笑。

“当然！在这么热的国家，用化粪池的水灌溉是很平常的事。又很营养。这样才不枉……嗯，你知道我的意思。”

“没错，可是有地头蛇。我是说，费雷尔家就在旁边。”

“所以我才要这么做。也许有点儿不友好，可是谁让托马斯在这个房子的污水过滤系统上撒谎，那时他就该想到我们会这么做。他说这不过是地上的一个洞而已，却害我们每次都得花大把钞票找水肥车来清理。自从他把这地方卖给我们之后，他玩弄我们的地方还少吗？”

森迪神经质地笑了一声：“好吧，我还是去打开开关好了。等会儿费雷尔先生从屋里出来的时候，我可不想在这里。”

“没问题，”我耸耸肩，“我会站在管线末端，免得那些东西流出来时溅到犁沟外面。”

我一直以为猪的排泄物是乡间可能闻到的最糟糕的气味，可几分钟之后我才发现不然。相信我，我们人类才应该名列排泄物恶臭排行榜榜首。我捏着鼻子，等候托马斯出现。我等待这一刻已经好几个月了。他极有可能暴跳如雷，但是我已经做好了心理准备。身为外来者，我们一直急于和每一个新邻居和睦相处，对费雷尔家长久以来的诸多抱怨我们都一直隐忍不说，从我们抵达这里时土地的贫瘠状态，到他欺骗着丢给我们处理的一大堆旧家具，甚至直到现在，除了周末以外，我们还得负担每天喂食他们各种各样的狗和半野生的猫群。别忘了他还偷偷溜进过我们的屋子里，把水塔和卫星天线建在我们的墙头。对了，还有那桩有毒毛虫差点惹出大麻烦的事。没错，这是托马斯自找的，他终于也可以尝尝他一直让别人吃的苦头了。

“呃，”当他终于在围篱那头出现时，他笑着说，“巴黎香水！”然后咯咯笑了几声，满不在乎地逛到一边锄地去了。

该死的！难道就没有办法挫挫这个人的威风吗？毫无疑问，他是个冷静的家伙，而且极有可能已经想到如果他对臭气有所抱怨，最后可能导致他的化粪池事件（及其他）得报官处理。当然，这只是我的猜想。

可是我错了。第二天一早，进一步的证据显示，托马斯根本没把政府当局看在眼里，也完全无视我们现在才是“市长府邸”的主人这一事实。

我们正坐在阳台上吃早餐，艾莉发现有样东西悬垂在果树之间，就在房子过去的第二片农田下面。

“好像是条绳子。”她说。

“奇怪，”我回应道，“快，把你的咖啡喝完，我们过去看看。”

艾莉以为的绳子，其实是条电缆。电缆的一端有个插头，就插在我们放拖拉机的农具小屋里，耐人寻味的是，用的正是我们的农业用电。我们沿着电缆走，它穿过我们的果树时就挂在树枝上，一直通到老玛丽亚和我们农场之间的围墙边。然而电缆并非到此为止。就我们目力所及，电缆经过老玛丽亚的柠檬树丛，一直延伸到了她小农场的另一头。

“天哪，该不会是她也想偷我们的电吧？”我嘟囔着，“这到底是怎么回事？”

艾莉说："弄清事实的唯一办法，就是去问她。"

老玛丽亚正在拔一只母鸡的毛。"哈啰，苏格兰太太，"她对艾莉露齿笑着，从她小屋外面的凳子上抬起头说，"这只母鸡是给你的。"她用责难的眼神瞥了我一眼。"也许这位苏格兰先生哪天终于肯帮你买一些自己的鸡了，在那之前，我会偶尔给你一只老母鸡来炖汤，怎么样？"

我等着听另一番讥讽我养猪事件的训话，可是没有下文。

"抱歉打扰你，玛丽亚，"我说，"可是我在想，为什么那根电缆会从我们那里一直通到这里来。"

她不理我，继续对艾莉说："这只鸡很肥。而且很香！它是吃烂水果里面的蛆养大的。"她恶作剧地眨眨眼，又加了一句，"你知道他们怎么说吗？一只老母鸡可以做最好的汤。"显然这是句暗藏玄机的双关语[1]，因为老玛丽亚把头往后一仰，哧哧笑个不停，弄得我们也像平常一样跟着笑起来。

"嗯，关于那条电缆，玛丽亚。"等笑声停了之后，我又冒险问了一次。

"啊，对了，"她对艾莉说，"说到最好的汤，我又想起来了，我有没有告诉过你怎么做鸡杂汤？"

我们坐下来，准备长期抗战。接下来的二十分钟，我们备受折磨地听着一只鸡解剖后各部位可能的烹调法，然而关

1　这条谚语类似中文里的"不听老人言，吃亏在眼前"。

于电缆的秘密却毫无进展。直到豪梅出现，我才想到也许可以看看他对我的问题有什么反应，同时让老玛丽亚继续在艾莉耳边大谈鸡事。

关于电缆，豪梅告诉我说，是托马斯·费雷尔拉过来的。

“我搞不懂，豪梅，为什么托马斯要从我们的农具房里拉一条电缆到你们的屋里来？”

“啊，彼得先生，”豪梅回答，仍然用他猫头鹰似的智慧眼神从眼镜上方望着我，“这条电缆不是通到我们的屋里，而是通到那边的。”他指了一下他们的水井。

这下子我更糊涂了，不过豪梅继续透露说，费雷尔家有权利每周从老玛丽亚这里抽一天的井水。依此行事已经好几代了，因为老玛丽亚的农场曾经属于弗朗西斯卡·费雷尔的一位祖先，而这位祖先把大部分农场卖给了老玛丽亚的一个先辈。弗朗西斯卡祖先保留的部分正好就是托马斯夫妇仍然拥有的土地。

我还是弄不懂。“可是我们的‘市长府邸’怎么会正好卡在这两块土地之间？这看起来似乎是很可笑的土地分割。”

豪梅闷笑了一声。“朋友，这种尴尬的土地分割在马略卡司空见惯。婚姻，死亡，嫁妆和遗嘱，还债务，偿赌金——各式各样的原因。老实说，现在一个农夫如果拥有几块地，一块在山谷这头，一块在中间，一块在另一头，是很平常的事。正因为如此，用水权就变得相当复杂了，这一点你现在也看到了。”

“可是托马斯·费雷尔为什么还需要从你们井里汲水？他在我们那里已经享有周末的独家用水权了，用来灌溉他剩下的那一小块地绰绰有余了。”

豪梅又闷笑了一声，凸出的肚腹跟着晃动。“噢！彼得，在这里，谈到用水永远没有绰绰有余这回事。再等一个月左右看看，你就知道了。”

我开始恼怒起来。“话虽如此，可是费雷尔家现在却把他该死的电缆从我们的果树上拉过来。这实在是个非常危险的苗头，万一他得寸进尺，认为他随时都可以问都不问一声，就把电缆插在我们的插头上。”

“啊啊啊，慢慢来，慢慢来，老兄。”豪梅一面轻声说，一面拍拍我的手背。

“犯不着为托马斯·费雷尔弄得心脏病发作。他的电缆也通过我们的果树，可是我任由他去。”他在我肩膀上重重地拍了一下，“嗨！让我倒杯葡萄酒给你，让你心情好一点儿！”

他真是好心肠，可是有一次我喝豪梅家自制的酒大出了洋相，所以，这次为了保持头脑清醒，我约束自己只喝一杯就道谢告辞。我等了一会儿让老玛丽亚结束鸡的演讲，艾莉这时很明显已经听得两眼呆滞了。

老玛丽亚终于注意到了我，她瞄了我一眼说：“电缆是费雷尔拉来在我们井里打水用的。”然后她转身笑着问艾莉：

“我有没有告诉过你这件事的来龙去脉？”

我们在她开讲历史课之前，拎着拔好毛的老母鸡，赶紧礼貌地起身告退。

接下来，我花了一个小时翻阅“市长府邸”的房地契，西班牙语词典派上了用场。

“在这里，”最后我对艾莉说，“你看这个农场条款，这几行画了红线的。里面注明费雷尔家有权利周末时绕过农场周围到我们井里打水。”

“可那块地，正好在他拉的电缆旁边，又能让他通到玛丽亚的墙。”

“不错，这些我以前都注意过，可是律师用英文讲主要条款时，我忽略了这一条。这一条是说他保有同一路线埋设水管的维修准入权。”

“这有什么问题吗？”

“不，到目前为止没什么问题。很明显，水管是从玛丽亚的水井通过来的。可是几分钟前我压根就没想到那里还有条水管。不，只有一个问题，就是他连说都不说一声，就把电缆拉过我们的果树。在摘水果的时候就很危险，我们之中随便哪个人都很容易用大剪子剪断那些电缆。这次托马斯做得太过分了，我现在就到电力公司走一趟！”

当我告诉电力公司柜台职员我来的目的时，他无奈地叹了口气。他的神情清楚地告诉我，每到灌溉季节，这类事情简直司空见惯。“先生，电线通过你的树这种事，我们爱莫能助。这完全是你和你邻居之间的私事。”

“也许吧，可是，还有一些事情完全是你们和我邻居之间的事了。我并不想给你添麻烦，不过，如果你们下个周末能安排一个工程师去一趟，我会非常感激。下个礼拜六早上，费雷尔先生一定会在他的农庄的。”

那位职员耸了一下肩表示“好吧，如果你坚持的话”，那副样子仿佛在说他是个无聊的公务员，恨死他的工作，恨不得从来没有被老婆和一大堆花钱的小鬼拖住。“先生，”他无精打采地说，“我们会有人打电话跟你约定拜访时间的。”他对我有气无力地笑笑，然后慢慢走开，去把我的资料存档，一面走一面挠着屁股，无疑在想我真他妈的是个幸运的家伙，只需要为电线这种无聊的事情烦恼。

我必须承认，要去和托马斯及电力公司的人见面，我着实有点忐忑不安。第一，在我偕同工程师抵达托马斯家门之前，托马斯根本不知道将有这样一场会谈发生。这种做法似乎有点先斩后奏，可是我知道，如果事先通知他，托马斯很可能会运用他的高层关系，想办法把事情摆平。第二，整个过程即使不会以马略卡语进行，也会用西班牙语，所以我必须有所准备才不会被唬得团团转。我事先查好了一些关键词并且拼命背下来，例如建筑计划许可书、非法侵入和控告等。然而打心底里，我真期望这些通通派不上用场。

我在苏格兰老家时也有过类似的冲突经验，一个自大的邻居趁我不在家的几天捣毁了我们两家农场之间几百米的石墙。这堵石墙坐落在农场最高、最无遮蔽的地方，本来是天气恶劣时放牧牛群的唯一屏障。当时我很实际地意识到，即使诉诸法律，几乎也可确定无法把墙重建起来。所以我能做的，只是把那个家伙痛骂一顿。即使是对方的错，我还是尽量把伤害降至最轻。眼前这个情况双方关系更亲近，我实在不希望历史重演。但是我们必须让托马斯知道，我们对他玩的那些小伎俩了如指掌，而且不打算再继续忍受下去了。

如果他对于我和电力公司工程师一起登门造访感到惊讶，那他真的完全没有显露出来。事实上，他们似乎是旧识，彼此热情地打招呼，自在说笑。我觉得自己简直是个局外人。

接着弗朗西斯卡出现在门边，一看见我就挥手欢迎我进屋，像平常一样热情寒暄，不断问候着艾莉和两个男孩。她卖弄风情地瞪了我一眼说，听说我们养了一条小狗，下次我一定要记得把它带来，见见她的两个宝贝罗宾和玛丽昂，可要尽快哟，狗儿也需要有好的狗邻居，不是吗？

托马斯和工程师继续谈笑风生，弗朗西斯卡突然走进屋里又出来，拿了一篮新鲜的马铃薯。“这一季最早的，”她微笑着说，“托马斯今天早上才刚刚挖出来的，我正打算送过去给你太太呢。请带回去，并代我们问候她。”

我就这样愣在现场，完全被解除了武装，这时候要抱怨甚至引起争论，可以说是处于最为不利的情势。

托马斯非常善用时机，立刻问我：“今天有什么可以效劳的吗？”嘴角谨慎地压抑着带有优越感的微笑，“希望不是又有什么麻烦了。你看水塔和电视天线已经照你的要求移走了。”他会心地看了工程师一眼，好像在提醒他我是个鸡蛋里挑骨头的人。

我看得出事情进行起来并不容易，可是这时已经到了过河卒不回头的地步了。“如果我们能走到我的拖拉机棚屋去，我会解释得比较清楚。”我说，注意到托马斯脸上骄傲的微笑始终不曾动摇。

弗朗西斯卡决定也一起来，表面上继续跟我愉快地聊着天，其实是打算在摊牌时能支持托马斯，因为他们一定已经知道接下来会发生什么事了。

“我不明白为什么会有一条电缆从果树里穿过来盘卷在这里。”一抵达农具屋，我就开门见山地说。

托马斯眼睛都不眨一下，清楚地说明了原因。

“我们把电缆从我们的果树里面穿过去已经好多年了！”弗朗西斯卡尖声说道，态度跟她丈夫一模一样。尽管如此，发牌权可是在我手上。

“呃，可是现在情况不同了，”我迅速指出，“这些树已经不是你们的了。这些电源你们也不能再随意插插头了。”

托马斯不以为然地哼了一声：“可是我们签过协议的。你该不会是想反悔吧。”

“我们协议把我们的农业用电让你们的新房子使用，只是这样而已。”

确信自己刚刚在电力公司面前好好惩罚了一下托马斯，我等着看他惊慌失色。可是他没有。工程师对于我揭露托马斯欺骗了他老板的信息也无动于衷。他只转向托马斯，平静地用马略卡语和他交谈。

“请大家还是用西班牙语沟通，好吗？”我立刻插嘴，努力控制住自己的火气，“而且为什么电力公司到现在还不供电给费雷尔先生的新房子呢？”我问工程师，他只耸耸肩，说这不是他部门的事。

“我们在帮你付农业电费，”弗朗西斯卡说，忽然变得很有攻击性，“为什么你还要抱怨？”

我不理她，直截了当地问工程师：“你们什么时候供电给费雷尔先生的新房子？”

他没有机会回答。托马斯神色自若的面具第一次粉碎了，他厉声说道：“先生，这不关你的事！”

“也许不关我的事，可是这个农场现在却关我的事，但是你们好像常常忘了这一点。”

弗朗西斯卡啧啧有声，好像很惊骇我居然说得出这种话。

可是我还有几句话如鲠在喉，不吐不快：“我不反对你们把电缆通过我们的农场拉到玛丽亚的水井，”我继续说，“可是除非你们把电缆从这些树上拿下来，并且安全地埋在地下，否则我会重新考虑，是否要把我们的农业用电继续供你们的住宅使用。”

托马斯又重拾他的镇定（至少表面上如此），点点头说道：“悉听尊便，先生，悉听尊便。”

然后，他、弗朗西斯卡，很有趣的是还有那个工程师，都转身镇静地慢慢走回他们的假日小屋。

“我觉得自己像个恶棍，”回到家里后我向艾莉招供，“而且我把费雷尔夫妇丢给了电力公司。那些人现在已经知道是怎么回事了。”

“是费雷尔夫妇做错事，为什么你要觉得难过？”

“我知道，可我还是希望自己的直言不讳不至于让他们吃官司或什么的。那样我很容易被这里的人看成是有优越感的典型英国佬。你知道那种人的，到外国才五分钟就开始仗势欺人了。我实在没有这个意思。我只是想……”

“你只是想费雷尔夫妇不要把什么都视为理所当然，好像这个地方还是他们的一样。你做的也只是这些，即使真的因此让他们惹上麻烦，这附近也不会有任何人为他们感到丝毫遗憾的。事实上，他们只会把你视为英雄。”

我知道，艾莉说的绝对没错，可是我还是希望不要成为托马斯和弗朗西斯卡的仇人。毕竟周末时他们住得这么近，这么一来只会搞得气氛非常糟。而且，不管他们犯过什么错，他们有时对我们还是非常好的，譬如失窃事件后弗朗西斯卡就来问候过艾莉，托马斯也给了我他的那套旧西班牙语工具书，帮我学习地中海的果树栽种法。基本上他们都是好人，只是有点得寸进尺的毛病，就像老豪梅曾经颇有技巧地警告过我的那样。总之，我真的很担心自己采取的对立措施很可能永远伤害了彼此的关系。

我的忧虑并未成真。接下来的周末早上，托马斯一如往常专横而愉快地来到我们的前门请求许可，因为有个工人要来把盘在树上的电缆线取下埋起来。隔了一会儿，弗朗西斯卡带着她声名狼藉的杏仁冰淇淋作为礼物，来借此认识邦妮，邦妮立刻欣喜若狂地喜欢上了她。弗朗西斯卡卸下那种对人的装腔作势，她是真心喜爱动物，而动物，似乎也会真心回报她的喜爱。她真的迅速和邦妮建立了感情，这情景此刻看来固然令人感动，可是也许暗藏的烦恼随着时间流逝就会显现出来了。

费雷尔夫妇对于我向电力公司人员泄露他们不当使用农业用电的事只字未提，所以我还在猜测等主管机关来执法时，这短暂的亲善关系会不会就消失无踪了。

我又猜错了。

“先生，我必须通知你，你这块地上的电缆已经低于安全标准了。”眼前出现的，正是十天前我和费雷尔夫妇“会谈”时在场的那位工程师。“我们会立刻换装新电缆，同时也为费雷尔先生的新房子安装供电设备。”

我大吃一惊。托马斯怎么这么快就申请到了先斩后奏的磨坊改建许可？我知道这种申请程序在自己的国家都得旷日持久，更何况在这个凡事慢慢来的“明日国度”。真是奇怪。不过，反正这不关我的事。既然托马斯办到了，我们终于可以摆脱共享电源的烦恼了，何况还能拥有新电缆。太完美了。不过，说真话，实在有点怪，我想到几个月前电工来全面升级室内电源安全装置时，完全没提到工程师所声称的主电缆陈旧到不堪使用的情形。不过管那么多呢，如果电力公司想要换新，我是不会捡了便宜还啰唆的。

话说回来，毕竟这也不是什么大工程。整个工作只花了半天时间，不过是从巷子里的一根电线杆拉一条普通电缆到房子的山墙，然后沿着屋檐通到墙上本来就有的一个洞，就在电源保险丝的箱子后面。这花不了电力公司多少钱，所以我的结论是，他们只不过趁着隔壁费雷尔家安装电缆时，顺便为我们做电缆更新的例行工作罢了。这样也不错。

然后，我们收到了邮件。

“天晓得，总共花了两千块！”我看到账单就对艾莉哀号，“那么简单的工程，而且根本不是我们要求做的！”

“我还以为是免费的。”艾莉不可置信地看了一眼发票。

“嗯，”我嘀咕着，“我也是。糟糕的是，有可能是托马斯搞的鬼，把他的那份工程算在我们的账上了。哼，门儿都没有！”

于是我再度去拜访电力公司那个倦怠的职员。

草草看了账单几眼后，他摇摇头喃喃地说：“先生，没有错。这是标准计费，并没有多收。”

“可是我并没有要求换新电缆呀！”

“这种事是由我们工程师决定的。”他把账单递还给我，并且疲倦地看了我一眼。“电缆的维护有很严格的安全标准，而你上次来正好就是为了这个缘故，所以我不懂你的问题是什么。”

比赛结束。

我还是觉得应该让托马斯·费雷尔注意到这件事。又一个周末他到小屋来时，我跟他约好了过去一趟。我拿出账单给他看。

“嗯，这工程还真不便宜呢，老兄。”他说，我觉得他声音里好像带有同情的意味。

“你说得没错。呃，希望你不要觉得我太失礼，我想冒昧请问一下，这次你所有的花费，包括你安装新电源的全部设备在内，总共花了多少钱？”

“比你的多多了，”他严肃地说，“啊，多得多了。”

他的扑克脸告诉我，这件事他完全没有必要再对我透露更多的信息了。虽然我很怀疑我这笔费用有超收之嫌，但只要我开口问他，就难免有暗示他和电力公司有勾结的嫌疑。我马上想到，这可是我绝对不想去触碰的麻烦问题。

不管怎样，这整个事件已经让我得到了我想要的，让费雷尔一家尊重我们已经是“市长府邸”的主人，让彼此的关系有一个新的开始。相对于我们能够言所当言、为所当为，一条价值过高的电缆算是很便宜的代价了。也许别人根本一直把我当个外来疯子看待？我可能永远也搞不清楚，反正这时我也不是很在乎了。

11

夏日时光——火辣生活

对我们这种第一次在地中海气候生活的欧洲北部人来说，分辨夏天究竟从何时真正开始，还真不容易，尤其在马略卡这种岛上，即使我们第一年在此度过的冬天，好像都比过去在苏格兰习惯的夏天还要温和稳定。可是，如果森迪和我以为四月末在老墙遮阴下种西红柿就叫作热，那是因为我们不知道好戏还在后头呢。

我们跟其他成千上万的人一样，都在海岛的盛夏里度过假，知道所谓酷暑有多么火辣。可是，在有着可供避暑的空调酒吧的海滩上闲荡，和在火炉般的户外干农活，完全是天壤之别。我们很快就发现，塞斯佩耶斯山挡住了吹向山谷里的凉爽北风，酷热难耐的程度非同一般，难怪本地人会给这里取个名字，叫作“火炉”。

到了六月初，甚至我们打算种植的苏格兰蔬菜都开始出现中暑的现象。在托马斯·费雷尔给我的古书里面，我找到了马略卡农历，里面有田地上该做什么的逐月说明，甚至还记载了老玛丽亚奉为圭臬的月亮盈亏时令原则。我很惊喜地发现，农历上还有“把泥土晒成砖块”和“利用母羊召集公羊”的最佳时机，甚至非常实用的“何时适合播种鸦片罂粟”。可是书里没有提到芜菁甘蓝，所以这种作物的第一次收成失败了。

乔克·彭斯每年都会在马略卡举办一次“彭斯之夜”，纪念与他同姓的苏格兰著名诗人罗伯特。结果，这个非常欢乐的苏格兰庆典变成这里每年一月份固定的盛大社交活动，当天乔克会推出各种传统苏格兰食物，例如羊杂碎布丁、芜菁甘蓝、马铃薯等，还会邀请舞曲乐队、吹笛手和表演者，全都从苏格兰进口（只有马铃薯除外）。数以百计的外地人和本地人，每年挤在这个到处装饰着欧石楠的大厅里，来一场大规模的苏格兰裙活动，当然也少不了痛饮威士忌的狂欢作乐。

唯一的问题出在芜菁甘蓝。这是配羊杂碎布丁这道菜必不可少的食物，马略卡没有，从苏格兰空运新鲜的足以供应数百人食用的数量又不可行。结果乔克不得不采用干货。一向忠于原味的乔克，对这种情况始终很不满意。“唉，和新鲜货就是不能比。”他每年都在抱怨。

所以，我自告奋勇要栽种出足够数量给他。我的想法是，如果连朋友“彭斯之夜”急需的一点都种不出来，那也未免太逊色了。问题是，芜菁甘蓝却不这么想。根据在苏格兰的多次经验，我在五月播种，灌溉充足的水分，嫩绿的幼苗很快就会从泥土里冒出头来，快得我从没见过。可是，一经过马略卡六月阳光的曝晒，这些怀念家乡冷空气的小幼苗就叹了口气，小小的绿叶瘫倒在地上，呜呼哀哉。

“他妈的，”我请教老佩普对这场灾难的意见时，他咒骂着，“你应该秋天就播种的。”

对了！他说得一点儿没错。为什么我没想到？这么一来，种子会把马略卡的冬天误以为是苏格兰的夏天，就会快快乐乐长大了。看来，又学到了一课。

不过，玉米收成的失败就没那么容易诊断出原因了。虽然我以前没种过这种温带玉米，可是我完全照着正确指示，在正确的月相时节播种（参照了农历），并且依照建议施肥浇水，让种子养分充足，所以我们满怀信心，期待它们能长得像谚语里说的像大象眼睛那样高。谁想到连只虫眼睛的高度都没有。事实上，根本没有一株玉米茎钻出泥土。

这次可连佩普都想不通了。“你在哪里买的种子啊？”他问，望着毫无动静的玉米田。

“不是我买的。一个澳洲来的朋友送了我一袋。”

这下佩普恍然大悟了。“四十个婊子！”他骂着，“问题就出在这里。你怎么会这么笨呢？”

“笨？怎么说？”

“澳洲种子，老天！”他咯咯嘲笑着说，“道理很简单。这种混蛋种子是向下生长的！”

好吧，至少我们的西红柿长得很茂盛，还有辣椒、洋葱、大蒜等适合地中海气候的植物。而当气温开始升高时，山谷里的生活步调却相对放慢下来。不再需要故意“慢慢来”，而是非如此不可。即使最信奉打拼主义的外来者，也不堪煎熬，开始主动加入“明日”部队。不幸的是，农历对六月的指示是：“这个月的第一天，泥土里的水分通常已枯竭，必须开始灌溉。”

正像佩佩·苏沃预测的，果树在他大刀阔斧之下反应非常好，一片欣欣向荣，可如果没有人力介入，它们很快就会因为夏天的干旱而枯死。所以我们在每棵果树的四周都掘了灌溉管道，即使我们采用森迪先前实验出来以拖拉机拖犁的掘渠方法，这仍然是个极为耗时费力的艰苦工程。本地人怎么有这么大的韧性，在酷暑下靠双手完成这种累断脊背的工作，我始终想不通。可是他们就是办到了，而且似乎觉得比起在苏格兰大风雪中喂食室外过冬的牛群，这算不了什么。我想，也许是习惯成自然。

不知道是热天引发的倦怠效应，还是我们电线事件摊牌的结果，反正最近托马斯·费雷尔很明显变得比较和蔼可亲了，对邻居总是很乐于帮忙或提出建议，有问必答，甚至主动指点。事实上，由于大家的关系变得非常和睦，所以周末费雷尔夫妇待在度假小屋的那两天，我们也不再用化粪池的水肥灌溉西红柿了。这个善意的动作，我相信他们一定深为感激。不过谁知道？说不定正是因为想到每周六一早醒来就能闻到我们的“巴黎香水”，他们才一直保持和气呢。不管为何，我们很高兴原先彼此的紧张关系总算解除了。

“千万不要让水位低于这个绳节开始的八掌以下。”托马斯说。他教我怎样用一条系在井边垂入井里的绳子，来估计井里的水量，并且张开手掌，确保我知道“一掌”是指从大拇指尖到小拇指尖之间的长度。“如果你一次汲水超过这个水量，就是汲得太多了，得要花太久的时间才能恢复井水的水位。千万别忘了这一点，非常重要。”

话说回来，就在托马斯使用井水的那个礼拜六，我发现他几乎汲了十掌的井水，而我并不很意外。正如他警告我的，第二天灌溉果树时，果然水就不够用了。毕竟，我以为他已经改过自新的话未免言之过早。可是为了避免陷入老玛丽亚常说的那种司空见惯的抢水战争，我决定这次就算了，可是下不为例！不过，我必须公平地说，后来整个夏天托马斯都没有再越过井水的警戒线。也许那次他只是不小心弄错了。或者，往好处想，可能他汲水过量是故意的，只是想向我强调八掌的规矩而已。我很高兴事情过去了，虽然我注意到从那之后，托马斯每个礼拜汲水一定会到达所允许的上限。我很确定那其实远超过了他的实际需要。可是很明显这个人就是这种个性；就算拿不到一尺，他也绝不少拿一寸。

我没有什么可抱怨的。佩佩·苏沃建议过我，为了满足果树的需要，至少每十天要把灌溉管道注满一次水。好在后来证明只要遵守八掌规矩，井水足够灌溉之用，谢天谢地，我们总算可以和费雷尔家维持和睦的邻居关系了。

只是有一天，这可喜的现状差点遭到威胁。

“天哪，你偷了我的鞋子！”弗朗西斯卡嚷着，一只手拿着一个装满了蚕豆的篮子，另一只手指着前门鞋垫上的一双破旧凉鞋。她看着我，脸上的表情毫不掩饰地是在指责我是天底下最变态的人。“我来给你太太送蚕豆，”她继续说，下唇颤抖着，“却发现你偷了我的新鞋子。”她弯下腰把鞋子拿起来、食指和拇指战战兢兢拎着鞋的样子，好像它们溜到切尔诺贝利刚回来似的。“我到处找这双鞋子，却在这里看到了。脏死了！”

我愣在那里，搞不清楚怎么回事，一时之间说不出一句话来。

接着弗朗西斯卡又注意到门廊过去一点儿的椅子下面塞了什么东西。“看！”她哇哇大叫，“我的红塑料靴子！昨天就不见了！上帝啊！”她在胸前画了个十字，嘴里喃喃说着一些不像祈祷倒像咒骂的话。

我不知道西班牙语的“有怪癖”怎么说，反正我还是一清二楚地表明我绝不会偷女人的鞋子就是了。

“那一定是你儿子！”弗朗西斯卡脱口而出，眼泪都快崩不住了。“这个年纪的男孩……”

我本想告诉她，就算我的两个儿子都碰巧患上了恋鞋癖，也绝不可能看上这么不吸引人的鞋子。可我还是决定不说的好，免得伤感情。但是我告诉她，不管她信不信，我可以向她保证，我们三个都是无辜的。

她听不进去。“但不可能是你太太，”她断言，然后才透露了她之所以这么肯定的原因，“我的鞋子对她来说应该太小了。”

我只能继续大呼冤枉，强调自己对整件事情毫不知情，并且暗忖，还好艾莉不在场，没有听到弗朗西斯卡背后暗示她的脚太大。

就在这时，邦妮正好从老玛丽亚农场那边跳墙过来。现在它快五个月大，已经长成一条很漂亮、肌肉结实的年轻拳师犬了。它就像这种狗典型的样子，非常淘气爱玩，精力无穷，快乐地享受着农庄环境提供的自由自在的生活。

“邦妮——”弗朗西斯卡尖喊着，马上破涕为笑。“噢，我的小宝贝！”她哄着它，伸开手臂欢迎也爱慕着她的邦妮。可是“小宝贝”的欢迎声未歇，一看到邦妮嘴巴里咬的东西，她马上吃惊地倒抽了一口气：“我的天哪！”原来是老玛丽亚的一只旧拖鞋。

突然间，偷鞋之谜水落石出，恍然大悟的弗朗西斯卡大笑不止，却没有为她暗示我和我的两个孩子是偷鞋贼而说一句道歉的话。

老玛丽亚可就没弗朗西斯卡这么开心了。当我厉声怒斥邦妮，而弗朗西斯卡却柔声护着它时，她绕过屋角气喘吁吁赶到，一只没穿鞋的脚上满是泥土。我们这一位邻居的心情可不那么好了！

"直接就从我脚上叼走了，"她喘着气，"我正坐在那里要扭断一只鸭的脖子，你的狗就跑过来叼走了我的鞋！天哪，一定得教训教训它要如何尊敬长辈！"

说完，她和弗朗西斯卡互相瞪了一眼，各自捡回她们邋遢的鞋子，转身往相反的方向走回家去。这次她们之间的仇怨倒省了我不少唇舌。虽然我内心对邦妮这个恶作剧的结果感到很庆幸，可还是晓得非得想想办法阻止它再犯不可。真讽刺，我买邦妮本来是为了捉贼，没想到是贼喊捉贼！

"在它项圈上绑只旧靴子，"艾莉建议，"也许可以让它改掉坏习惯。"

以前在苏格兰时，我们的一条拳师犬科珀也试过类似的治疗方法。不过科珀的弱点不是鞋子，而是鸡，活鸡。至少它刚偷到的时候是活的。可是毫无例外地，等科珀得意地把那些可怜东西从邻家农场叼到我们家后门时，它们早已吓死了。

“在它项圈上绑只鸡！”有人建议，“通常可以让它们改掉老毛病。”

用绳子绑只死鸡试了几天并没有让科珀改邪归正，在邦妮脖子上绑只靴子也一样毫无劝阻效果。它还以为那也是游戏的一部分呢！所以，在它玩腻这个把戏之前，我们不得不隔三岔五把一两只脏鞋拿去还给两位邻居太太。当然，这情形并没有帮助弗朗西斯卡学会惩罚她那爱偷窃的“小宝贝”，她还是照样嘻嘻哈哈地喂它吃的，在它耳后搔一搔；而老玛丽亚拿着锄头拼命跟在这个“外国小畜生”后面追，也只是让邦妮玩得更不亦乐乎而已。

直到开始对我们的灌溉工作产生兴趣时，它才终于痛改前非，把抢鞋大盗的生涯抛诸脑后。显然在水管喷水时踩水比叼鞋子好玩多了！

不仅邦妮改行玩水，对我们来说，给树浇水也变得不像旁人说的那么枯燥沉闷了。起初是有点无聊，可是一旦学会把工作和认真地闲散结合在一起，浇水就成了不错的享受。整个浇水过程很简单。一根从水井通到巷子、贯穿整个农场的锌管上装了一组水龙头开关，再连接一根很长的橡皮软管。转开水井抽水马达的开关后，就开始浇水了。我会先把最靠近锌管的果树间的渠道灌满水，然后是软管一带的渠道，最后才慢慢灌溉到与费雷尔家交界的围栏边。

这个工作通常是在黄昏时做，这时暑气已经消散了一些，可避免水分过多蒸发。我们的惯例是先从农场最远端开始，灌溉预定数量的果树后，再朝巷子方向进入下个阶段，这样每天灌溉一片果树区，直到最后所有的果树都得到需要的水量。正好是十天之后，完全遵照着佩佩·苏沃的指示。之后从头开始，再来一遍。

除了要拖动笨重的橡皮软管之外，这项工作中最吃力也最无聊的部分，就是要站在那里看水涌进管道里。可是我很快就想到一个真正体现“慢慢来”哲学的做法。为什么不“坐”着看水呢？这样每十二分钟左右的时间里我就可以休息十分钟，可以用这段时间坐下来想想事情，不过后来通常纯粹只是坐着。我终于学会去和马略卡乡下人的生活方式妥协，而不是抗争了，我正在慢慢接纳这种体验。

真的，我告诉自己，身为庄稼汉，不愉快的事多得很呢，这算是不坏的体验了，你可以在地中海沿岸柔和的黄昏，坐在柑橘林里的塑料篓子上，聆听汩汩的流水声，呼吸柑橘树芬芳醉人的香气，做梦般凝视着四周雄伟的山脉。直到查理拿了一大瓶冰镇啤酒来孝敬他老爸，我才结束了发呆时间。他每天放学回家时会绕过来，已经形成一种习惯。然后他会把邦妮带去疯疯癫癫地玩足球。这时，足球已经变成邦妮继拖鞋之后的新宠了，留下我一人沉浸在孤独的幸福中，脑子里空空的，想的顶多是曾经雪白的苏格兰膝盖怎么变成金黄色了。随后，落日西悬，我置身在无数闪烁的亮光中。一群飞翔舞蹈的昆虫在树丛间盘旋飞掠，小小的翅膀反射着夕阳金色的光芒。

如果这叫作沉闷，那么我要说沉闷万岁！

几个礼拜之后，我们早上得花越来越多时间去摘夏日水果了。我们从樱桃摘起，可是无论多早开始，小鸟总是抢先一步。老佩普曾经警告我们，不要鼓励这些长翅膀的朋友飞进果园，现在我们终于懂了。蜂巢里的小黄蜂威胁着小梨子，小蜈蚣是杏子的天敌，蛞蝓攻击李子，果蝇对我们的枇杷情有独钟，可是遵照佩佩·苏沃传授的简单喷药原则，我们总算可以把大多数害虫逼向穷途末路。

现在，我们的农产品可以供给新法国朋友安德鲁和赫罗尼莫先生了，先前的财务忧虑逐渐减轻。虽然“市长府邸”的收成永远不可能让我们发财，这是我们从第一天就已接受的事实，可是至少现在我们已经可以收支平衡了，几乎可以。这已经比我们几个月前想的快多了。不过森迪果然如艾莉和我一直担心的那样，对于要不要继续参与我们的马略卡探险，有一些犹豫。

“我知道事情进行得都还不错，”有一天我们在把水果箱搬进小“熊猫”的后座时，他说，“可是，你知道，谈到前途的话……”

我看得出他故作轻松的样子，显然他想说的是已深思熟虑的结果，他只是不知道该怎样说出口。

“没关系，”艾莉体谅地笑着，“如果你对在这里的一切还有顾虑，也不是什么罪过。毕竟这是你自己的人生，你必须选择最适合自己的路。”

“我的意思是，我并不是不喜欢这里。”显然说出心事让他如释重负，“这里真的很棒。可是，我不确定种水果是不是我想做的事。”他磨蹭着两脚，又有点尴尬起来，“我……我只是……这跟小拖拉机或果树、田野这些都没关系，这些我都已经习惯了。可是……”

“可能这种耕种方式不太对你胃口？”我提示他，“这不能怪你。信不信，就连我自己也怀疑过很久。”

森迪垂头丧气地喃喃说道：“我也说不清楚。我知道这里的一切要上轨道还有一大堆工作要做，我并不想让你们失望或什么的……”

我安慰地拍拍他的肩膀。“我看这样吧，你何不旅行一下，回苏格兰几个礼拜玩一玩，也许九月初？这样秋收季节你就可以再用真正的拖拉机做做工了。还可以跟农学院那些人聊一聊。回去重新感受一下那里，然后再决定。你觉得怎么样？”

森迪开心得好像圣诞节早上的小孩："你们不介意吗？"

"我们当然不介意。"艾莉对他鼓励地笑一笑，"我说过，这是你的人生，我们是最支持你的人。"

"噢，这太棒了！"森迪露齿笑着，"好吧，那我就决定这么做了，先回家休息一段时间再看看情况。"

艾莉和我没说话，可我知道我们在想同一件事。你不必是弗洛伊德就能了解森迪"回家"这个字眼背后的意思。可是这件事只能留给时间了。也许重温一下苏格兰年末收割谷物时那种与严酷天气的斗争——在那里是家常便饭——反而可以说服森迪加入我们这阳光下的小小农事冒险，觉得安顿下来并非难事。

等森迪开着"熊猫"去送货之后，我把这个想法告诉艾莉。本来我俩对未来的想象一直是一家四口紧密地生活在一起。可是小鸟翅膀长硬了，时间到了总会飞离鸟巢的。如果对森迪来说时间已经到了，那么，当然，无论多么舍不得，我们都会接受他的决定，祝他顺利，尽我们的能力支持他。

不过眼前这一刻，我们还都团聚在马略卡岛，而现在是夏天，我们决定好好享受。

老佩普一点儿都不担心善变的气候会对他的谷物收成有

什么威胁。事实上，马略卡的天气非常有利，佩普收割燕麦，比起苏格兰最早成熟的燕麦区还要早上两个月。可是在这个六月底阳光灿烂的早上，佩普农场上嗒嗒作响的并不是苏格兰燕麦田上的那种联合收割机，甚至不是50年代初在大多数英国农场新登场的第一代联合收割式打谷捆扎机。不，佩普用来收割燕麦的机器是镰刀机，打谷捆扎机的前身。这种镰刀机甫一出现就淘汰了更早的刈刀，的确是划时代的发明，但即便这种镰刀机我都只在农具博物馆看过而已。亲眼看到有人在使用它，我恍若回到了上个年代，好像看着佩普和他的四个帮手正在描画一幅古代收割图。

佩普正抓着骡子的缰绳，大声咒骂着催促这躁怒的畜生拉动古老吵闹的镰刀机，想驾着它规规矩矩地走过这散布着杏树的麦田。真是不简单的工作。镰刀机上坐着一个人，手拿一支三叉长木戟。他的工作是把来回挥动的镰刀砍下的麦子耙在一起，干净利落地丢到横木后面的平台上，等收集到适当数量之后，再叉到后面的麦堆里。另外两个人则捡起这一堆堆散乱的麦子，用草捆成一束一束的。这些即使在普通天气里都是非常辛苦吃力的工作，何况是在马略卡的盛夏艳阳下，我觉得这简直是炼狱景象。可是佩普却依旧穿着他忠心耿耿的皮夹克，戴着他的黑扁帽！

另一件让我惊奇的事是，捆麦草的人竟然没把麦穗朝上，我记得小时候在苏格兰时都是这么做的。这是整个收割工作的重点，以确保麦穗不碰到地面。我大声问佩普需不需要儿子和我帮他做这件事，他只挥挥手表示不必。

“多谢，老友，可是真的不需要。”他指指太阳，“老天会照顾它们的。放心！”

我知道佩普不是偷懒，绝无可能。可是我还是很奇怪他怎会冒险让宝贵的禾束那样躺着，因为这样麦粒很可能沾到泥土的湿气，而且万一下雨，也会烂掉。当然，事实上，现在地面干得像火烤过似的，而且每年这个时节，下雨的概率也小得根本不用放在心上。

即使农事历也支持佩普毫不挂心的态度。对于目前的时节，书上说:“平均来说，这个月最多只会下一天雨。可以说，六月的雨量为零。”

无论是佩普的轻松态度还是农历的大胆预测，后来都被证实完全有理，因为接下来三个礼拜禾束都躺在那里，并无任何灾难降临，只引来了一些田鼠，但即使麦穗朝上，也不能确保这些顽强的小强盗不会觊觎这美味的麦子。

有一天我和艾莉逛完街开车回到巷子里时，又撞上了佩普农场上另外一幕。在他乱七八糟的院子里摆了一部老式的自动打谷机，在英国，这是联合收割机出现之前每个农场会轮流使用的机器。又是我孩提时代以后就没再见过的东西。这种打谷机我记得是靠一种会冒烟的大蒸汽机发动的，可是佩普这种迷你打谷机是靠一部拖拉机带动的。拖拉机？在佩普的农庄上？看来他又推翻了自己斩钉截铁地说“绝不用这种会污染空气的机器”的诺言。

姑且不论佩普农场上关于“绿色政策”的无伤大雅的小谎言，现在我好奇的是，他究竟在搞什么名堂，于是我停下车来，兴奋地盯着这幅从过去寄来的活生生的风景明信片。这时山谷六月天的要命气温大概已经接近四十摄氏度了，湿度则可能达到了百分之九十。而已度过七十个寒暑的佩普正站在打谷机旁，把一束束麦子插进机器饥饿的嘴里，生龙活虎得就像才三四十岁一样。对这个热死人工作的唯一让步，是他只穿了一件T恤衫（这是我第一次见他没穿那件提升形象的飞行员夹克），头上戴了一个四角打结的手帕，代替他那顶黑扁帽。

另外两个人驾着佩普的骡车把禾束从田里运回来，第四个人则站在打谷机后面，把打过的燕麦装进袋子里。就这样，老佩普用他的长柄叉和一颗年轻的心，让三个人和一头骡子忙得团团转。还有人说西班牙人是懒散的民族？不错，他们确实把“明日综合征”和他们保持平静的能力变成一种艺术，但是在必要的时候，至少他们这些乡下农民，是人人都可以卷起袖子当拼命三郎的。佩普在这个火热的夏日亲身证实了这一点，而我必须承认，只是想想要捡几篮杏子，我就已经汗流浃背了。

我把想法告诉佩普，这时他宣布休息一下，好让帮手和骡子喘口气，而他自己则好整以暇地卷了支烟吞云吐雾起来。

他的直觉反应是："老兄，这是天生的。"接着他承认道："如果把我放在你们国家，我可能一束麦子还没打就冻僵了！"

说得有理。

眼看今年的燕麦收成马上就要大功告成，佩普的心情罕见地愉快，所以我打算趁机取笑他吹破了他那"绝不用拖拉机"的牛皮。可是他让这台喝汽油的老打谷机进驻农场的借口，可谓简短又有趣：

"老兄，"他嗤之以鼻，"要是我还像我老爸那个年代那样手拿连枷打谷，我可能二十年前就死了。"

说得不错。

"好吧，那上次为什么要森迪用我们的小巴维里拖拉机去帮你犁田？"

"因为有实际需要，"佩普显然打算更直率地回答这个问题，"我想把田野角落的一块边角地开垦成一块田。虽然是边角，却是个安全的角落……种我的烟草。"

我点点头等着听他绝对少不了的惊人之语。

佩普对艾莉调皮地眨眨眼，然后对我说："骡子拖着犁在局促的田地角落会显得太笨重，对不对？"

"对。"

"可是在骡子屁股上架一个旋耕机的主动轴，你想想看是什么模样！”

说得真对。

查理那充满国际化民族精神的学校，在夏季课程结束的最后一天举办了一年一度的运动会。为了这个活动，学校在帕尔马近郊租了带游泳池的体育场，因为学校的运动场地只有一个小型室内体育馆和一个室外篮球场。虽然出席的家属人数不多（全校学生总数大概只有两百人），大家却非常热情，场面十分热闹。孩子们则个个为自己班上铆足了劲拼搏，在有露天看台的真正运动场上和奥林匹克规格的游泳池里，全心投入到热闹的比赛项目中。

由于运动场下午酷热，径赛的短跑和接力项目只限于大一点儿的学生参加，年纪小的学生则有短程的“勺子接蛋”和“两人三足”竞走比赛。西班牙就是西班牙，运动场内竟然有一间酒吧，所以那些唯恐中暑的家长（我注意到清一色都是父亲），可以很安全地待在冷气间里，透过冰啤酒酒杯的边缘，愉快地睨视孩子在运动场上奋斗。这个主意也强烈吸引着我，可是艾莉马上提醒我，在我沉溺于任何这类行径之前，必须先和校长谈谈前阵子查理在篮球场的不良行为。

跟森迪得知的信息相反，校方并没有任何人因为这件事跟我们联络，所以我想整个事件也许只是小事一桩。不管怎样，还是该让学校知道我们并不认可查理的行为。

“男孩子就是这样。”校长面带微笑，看起来比我自己做学生时那些专制的“老古板”要亲切愉快多了。他正忙着帮他的职工安排运动场上的事情，可还是很高兴抽出时间向我们说明一下整学期来查理取得的进步。

关于球场上打架的那件事，他解释说，虽然在学校里绝不能原谅任何暴力行为，但由于各种文化背景的学生在这里来来去去，像查理卷入的那场冲突并不罕见。

“我们一向鼓励学生和睦相处，不管他们是什么国籍。但是，每个学校的情况都一样，总会有个小伙子到处横行霸道，让任何反对他的人都日子不好过。这些话绝对只能我们私下说，跟你们查理——呃——算是意见不合的那个男孩，正好就是这种类型。虽然老师知道查理大概是唯一敢站出来为自己说话的那一个，可是他还是必须遵守学校的纪律。”

“但愿查理已经记在心里了。”我说。

“你不必担心查理的日常行为，这点我向你保证。他是个外向活泼的孩子，有时候在课堂上可能有点注意力不集中，可是在同学和老师中间人缘非常好。”校长放低声音，笑着悄悄加了一句，“而且他的篮球队敌人最近也不再找他麻烦了。”

“他在学校的功课怎么样？”艾莉问，“还跟得上……有进步吗？”

“今天晚一点我们会让他们把成绩单带回家，这样就一目了然了。不过，一般来说，我认为查理对他有兴趣的科目表现得很好，没兴趣的就差些。对这个年纪的孩子来说这是很正常的，我们学校小，老师都还有时间针对这种情形进行特别辅导，目前我们对查理就正在这么做。”

“我们在家里也一定会尽量配合。”我向他保证，心里大大松了口气，知道查理的功课再糟也不会糟过“宜更加努力”的老评语。至少学费没有完全白费。

“噢，只有一件事，”校长正准备转身去安排比赛事宜时说，“一件态度方面的事，也许你们也可以劝劝查理，我们怀疑他认为我们有些老师完全是白痴。也许我们确实是。可是，”他顿了一下轻笑一声，“我们实在不需要一个十二岁的孩子来提醒我们这一点，无论他提醒得多么小心，对不对？”

我决定一定要提醒查理这一点，可是暗地里却很高兴他已经有观察人的能力了。还有谁比学校老师更适合练习这种初学的技术呢？他们是最多样化的人性基本教材了！

虽然这跟英国在学校操场举办运动会的情形完全不同——那种在欢乐温暖的下午，嗅着刚修剪过的青草香气的记忆会变成一种永远的回忆——但这种运动场的景象也同样催生了学期末喜气洋洋的气氛。即便只占了露天看台一小块区域，这一小群欢欣鼓舞的家长还是带头创造出一种气氛，把欢乐播洒到比赛场地上。还是老样子，几个有运动天分的孩子囊括了大部分奖项，可是所有人都尽了力，即使是那些早已习惯落在最后，看起来全都像是用奶油蛋糕、汉堡和薯条训练出来的选手，也一样。

可是他们全都玩得兴高采烈，等阵地转移到游泳池的时候，班际竞争的气氛更是达到了沸点。虽然不能说自己像电视游泳大赛上那种疯狂的观众，可是我必须承认自己对这小小的竞赛兴奋到了忘我的程度，甚至完全忘了去拜访酒吧里那些为热天所苦的老爸。比赛的质量实在值得褒奖，即便是小婴儿都全心全意加入到热烈的比赛中去，虽然不少穿着救生圈的新手笨拙得根本没有游离岸边。至少他们参与了，这才是最重要的事情。

虽然这里没有刚修剪过的青草香味，可是那些快乐孩子颇具感染力的热情已弥补了这一点，被太阳晒成蜜色的皮肤体现了他们拥有健康的户外生活，而这正是在马略卡气候下成长的最重要的一点。查理是个幸运的孩子，他对这种生活显然如鱼得水。这真是意想不到，因为当初换新学校的时候，这件不得不做的事还把他吓得要死，现在反而变成帮他成功适应新环境的主要因素。

如果森迪有机会投入这种社交大熔炉就好了。

一家人长相厮守的事改天再想吧。眼下，校长告诉我们查理功课有进步的事情让人松了口气，加上学校运动会的兴奋心情，艾莉建议不如乘兴带孩子去吃个庆祝晚餐。而且，她最近迷上了兔肉料理，所以建议这回去纳布尔格萨观景台餐厅。

怪的是，这是埃及小子阿里特别推荐的地方，就是篮球群架时出来给查理撑腰的那个男孩。这是他父母最喜欢的地方，不仅因为招牌菜是马略卡最美味的野味烹饪，也因为窗外的景色令人叹为观止。他还说，唯一美中不足的是，餐厅位于纳布尔格萨山山顶，上山的路简直令人毛骨悚然，他母亲总是宁愿下车自己走上去！

我们很快就体会到她的感受了。我们驶离热那亚村往帕尔马西郊而行，狭窄的车道依山势盘旋而上，路边没有护栏，更别提好像永无止境的盘山公路了，愈往上爬我们愈是提心吊胆。我发现艾莉紧闭着眼睛，后座不时传来的呻吟声表示两个男孩也并不觉得非常享受。而我只能拼命抓紧方向盘，心里暗自感谢山路陡得可以一直保持在一挡而不用换挡。除了全心注意这些恐怖的 U 形大转弯之外，我简直无暇他顾。

然而不可避免的事终于发生了。我们在急转弯处迎面碰上了一台送货卡车。实在没有足够的路面让两辆车同时驶过，非得有一辆倒车后退不可。了不起的卡车司机打算肩负起这个挑战，但铺满碎石的柏油路面太滑了，他的后轮开始空转，整台卡车根本没办法在这陡峭的山路上移动一下。

“我得倒车。”我说，故意不去看左边一落千丈的悬崖峭壁。

“我要下车！”艾莉吓得发抖。

“我也要！”两个男孩异口同声道，紧跟着他们老妈的脚跟从后座爬到了车外。

“感谢之至，”我喃喃地说道，拼命忍住想跟他们一起弃车逃生的冲动，“要是你的脚不小心在离合器上踩滑了，”我告诉自己，“那这辆该死的车根本还没有倒车的机会，就已经……”我不敢想下去，竭尽所能轻轻把踩在刹车踏板上的脚放开，同时也用力拉住手刹，以防万一。

“停！”三个声音疯狂喊着。我从后视镜看见森迪和查理死命挥着手，艾莉则站在那里双手捂着眼睛。

“你只差一英寸[1]就要掉下去了！”森迪喊道，“往前开一点再试一次。我会帮你看路，别担心！”

别担心？老天，我真希望自己穿了成人尿不湿，还说别担心！

我不知道这个恐怖行动到底是花了多久才完成的，也许只有一分钟左右，可是感觉好像已经过了一辈子。直到我把车开进山顶停车场时，我还在发抖，鼻尖上的汗不断滴下来。

“你们终于上来了！”艾莉和两个男孩气喘吁吁爬上来

1　1英寸约合2.54厘米。

时，我对他们喊道。我伸出颤抖的手指，指着山峰最顶端眺望着大海的耶稣雕像。“如果我们能安全下山，到时候别忘了提醒我谢谢这位保佑！”

一旦在这舒适的乡村餐厅坐下来，喝了杯浓烈的乡村美酒后，我的神经马上就松弛了。只啜饮了几口这种安定心神的红色液体，我立刻相信窗外这片美景完全补偿了我们整个惊心动魄的旅程。我们跟耶稣一样俯瞰着帕尔马整个海岸。整座城市呈现在我们脚下，一切景物围绕着大教堂，远远望去好像火柴盒模型，再过去则是广大的中央平原埃斯普拉。我们的位置高到连喷气式客机看起来都像玩具一样，它们正在帕尔马最远处郊区的飞机场起飞降落。小阿里的献计显然非常成功。

可是这里的菜品如何呢?

“我知道我要点什么！”艾莉说，连菜单都懒得看一眼，“如果阿里说这里的兔肉很棒，我就要兔肉。”

她的餐厅西班牙语会话已经颇有进步了。所以，在充满自信又渴望美食的心情下，她决定要自己点菜。

“哈啰，晚安，先生。”她愉快地用西班牙语对侍者说，“我听说它们美妙极了，所以我想点一客你们非常可爱的cojones。呃，要一份大的，谢谢。”

森迪和查理开始低声窃笑，我立刻丢给他们一个“控制一下”的眼神。这一定会是艾莉的又一经典桥段。太精彩了，绝不能让它胎死腹中。

“抱歉？”侍者一面问，一面轮流看着男孩和我，想看出有没有表明这是一种嘲讽的蛛丝马迹。

我们面无表情。

“你们美妙的 cojones，”艾莉再度迷人地微笑，“我想来一客，谢谢。”

侍者挑起眉毛，抱歉地耸耸肩，一本正经地说：“不可能的，女士。”

艾莉脸色一沉，“噢，天哪！你们没有了吗？”

“不，不，女士，它们还在。而且，嘿！我会好好留着！”他扔了一份菜单在艾莉手里，“我等几分钟再回来，好吗？”

我感觉得到两个男孩像我一样，正在拼命保持若无其事的表情。

艾莉一面皱着眉，一面浏览着菜单。“我弄不懂他生的是什么气。这里明明写着有兔肉。”她指着菜单最上面，“看，cojones！”

是没错！森迪和查理的脸涨成了紫色，终于忍不住爆笑出来，愉快得连眼泪都流出来了。

“没错，艾莉，”我说，自己也笑起来了，“那些字母是对的。”

“那又怎样？”

“可是你念的次序不对。”

“什么意思？”

“意思是说 conejos 才是兔肉，至于 cojones 嘛，”我顿了一下，吸口气，“cojones 这个字，亲爱的……是睾丸的意思！”

“我听过很多人话中带刺，”查理在艾莉一溜烟跑去卫生间的时候，笑得喘着气说，“可是我妈这个真是独树一帜！”

等侍者回来时，我帮艾莉点了兔肉。

侍者慎重地咳了一声，紧张地笑了笑，然后彬彬有礼地问道：“阉过的吗，先生？”

“是的，”我回答，点点头对他的机智反应表示嘉许，“不带 cojones，麻烦你。”

尾声 | 明天见！

马略卡日历上慷慨地写满各种节庆假日，在那些神圣的日子里，除了酒吧之外，各行各业都关门大吉，以游行或喧闹的庆典来纪念某位圣者伟人。到了夏天，安德拉奇这一带最重要的节庆当属“卡门圣女节”，这位圣女是渔民的保护神。庆典八月中旬在安德拉奇港举行，木质捕鱼船队都装饰上各种旗帜、彩带和气球，码头边和狭窄的街道上也挤满了人，都是从岛上各处前来参与这多彩多姿的盛事的。

白天的高潮戏是圣女一年一度出巡，更准确地说，是个真人大小、装饰华丽的圣女雕像，用轿子从村子后面的小教堂一直抬到港口边。管乐队隐藏在欢乐人潮中，吹奏着乐曲引导人群队伍走向已经选定的渔船，载送圣女出海，好让她赐福给大海，保佑来年本地渔民的好收成。

大多数西班牙庆典传统上都是以家庭为单位进行的，所以人们会鼓励小孩子上船，用糖果和音乐招待他们，让小船队驶出海港迎向大海。查理和同村的托尼——他的马略卡死党——两人组队，想办法上了带头的那艘船，我想倒不是因为船上有圣女雕像，而是因为圣女旁边有漂亮少女装扮的皇后和同样年轻的随行婢女。森迪看不上这种小孩子把戏，宁愿独来独往，于是逛到村子边的庆祝游园会，跟一些年龄较大的本地女孩子一起，显然想向她们秀一下他高超的碰碰车本领。

至于艾莉和我，现在则可以轻松自在地消磨一两个小时了，于是我们先在图尔酒吧外面坐下来眺望海港，亲切的店主帕乌照旧端上他免费招待的鸡蛋卷，同时开玩笑地戏称艾莉为福克兰女王。这伟大的头衔原本是西班牙赠给玛吉·撒切尔的，然而，你禁不住会想，其实这也是常常被拿来称呼船上那些生锈吊桶的。不过，对这含糊的荣耀，艾莉当然会往好的方面想。而且，凡事都有代价，艾莉为这荣耀付出的代价，则是买了一个价值一百块的蛋糕。

这时，原先送船出海暂时散去的人群，现在又在码头边集结，打算欢迎船队回港了，于是我们起身在这黄昏时分慢慢散步到另一头的安静海岸。洛文托酒吧本来只是一处渔夫小屋、一个小小的石头建筑，至今它仍然是这个客栈的主体，不过，现在增加了盖顶凉台，扩大到海岸边了。我们坐在岸边的座位上，分享一份新鲜的炸鳀鱼，一面把面包屑丢给就在我们桌子旁边的一群争食的灰色鲻鱼。正在这岸边欣赏黄昏夕照时，返航的船队已遥遥可见了，他们庆祝的灯光映照在海面上，涟漪的波浪仿佛萤火虫般闪烁跳跃着。还有比这更好的享受吗？

随着夜幕低垂，燃放的烟火揭开了安德拉奇港夜晚庆祝活动的序幕。我们也该离开这些小鱼和地中海岸的宁静，重新回到港口边欢乐的人群里去了。长夜未央，慢慢出现的星光很快就会点亮街头闪耀的聚会，至少还有好几个小时的热闹呢。

八月带来的致命热潮，正如整整一年前弗朗西斯卡初次带艾莉和我参观“市长府邸”时说的：“简直热死人！”如果像她这种在山谷里土生土长的人都觉得八月的气温难以忍受的话，那我们这种刚从寒冷北方来的移民怎么忍得了呢？尤其当挟带撒哈拉风沙的南方热风吹来时，最习惯马略卡气候的人都会大呼受不了。这时每一样东西，车子、船只，甚至树上的叶子，都会因为从非洲飘过海岛的闷热空气而蒙上一层红色的沙漠尘土。更糟的是，热风飘过海洋时吸收了过多的水汽，使得马略卡的湿度到了几乎让人无法忍受的地步。

“我们非盖一座游泳池不可！”在一个酷热的黄昏，刚给树浇完水后，我喘着气弯腰弓背地走进厨房。我只穿了一条运动短裤，什么吃力的事都没做，只不过从冰箱拿出一瓶冰水而已，就止不住大汗淋漓。

“可是你根本不会游泳。”艾莉从呼呼吹着热风的电扇后面看了我一眼。

“我是不会游泳，可是我会融化。你看我，我现在一定已经到了融化的边缘了！”

“我们盖得起吗？我是说游泳池。”

“搞清楚要花多少钱就知道我们盖不盖得起了。不管怎样，我们可以把它当作投资，增加这里的附加值，诸如此类的。”我又打开冰箱，把头塞进去，“向你保证，我明天早上第一件事就是找人报价。这实在是该死的酷刑。”

庆幸的是，就像冬天的特拉蒙塔纳冷风一样，热风最多也只吹一两天而已，所以我们马上又恢复了八月“正常”的暑热，而正是这时的天气，使得追逐阳光的上百万游客每年拥进马略卡的海边度假胜地。夏天的水果大部分已经采摘完毕，所以我们至少有一个月的时间可以休息，直到秋天的石榴成熟再说。手上终于能有点空闲的时间了，尤其是周末。反正也不能灌溉，所以，只要一有机会从工作里抽身，我们就会开车逃离这闷热的山谷，把车窗开得大大的，让海岸边清新的空气吹进来。

可是我们并不想开车到挤满游客的海边去，那里只要有微风吹过，就可以闻到上百种品牌防晒霜的气味，而整个沙滩全都被裸露的人体盖住了。如果到岛上来是为了这个目的，自然乐得其所。可是我们已经发现了一些真正具有马略卡风味的地方，也就是旅游业蓬勃发展以前的马略卡。自然景色相对来说比较没有受到污染，人们仍然可以在安静的海边酒馆享受一客刚捕上岸的沙丁鱼，而那位女侍者可能正是捕到午餐的渔夫的太太。真的还有一些如此无价的地方，藏在僻静的小海湾，譬如卡农热港，远离了崎岖北海岸疯狂的夏日人潮。

不然我们也可以开车到山里去，山里的空气既干净又清凉，即使在夏天最酷热的时候都一样。我们最喜欢的一个地方就是休斯塔雷酒吧，它孤零零地坐落在索列尔隘口，这一高地隘口介于雄伟的德尔泰克斯山和阿尔法比亚山之间。此处曾是运送货物的骡夫歇脚的地方，他们往返于帕尔马和特拉蒙塔纳山另一边的索列尔两地之间。虽然隘口下面好几公里处新筑了道路，抢走了大部分的生意，但是休斯塔雷酒吧依旧开门营业。

然而，我们最近到那里去的一次，除了我们之外，唯一逛进前院的顾客只有一只小山羊，它自由自在地游荡着，活泼开心又爱跟人打交道。它亲热地找上艾莉，那时她正好在吃一小块海绵蛋糕。艾莉马上被这街头卖艺似的可爱小动物打动了心，于是喂它吃了一口，它迅速吞了去，又立刻抢走了她另一只手上剩下的。她想，这很值得，因为有这么友善的小动物做伴，它的出现正好为这里的环境增添了乡间魅力。

我们在常绿橡树遮天蔽日的树荫下找了张桌子坐下来，啜饮着冰凉的饮料，眺望深谷中蜿蜒向上通往隘口的道路，隘口上面是阿尔法比亚山险峻的悬崖峭壁，崖壁在矮树斑驳的山坡上投下了喜悦的阴影。四周一片寂静，连躲在橡树叶丛里的麻雀都悄然无声。人很容易在这里流连一整天，可是午睡时间在召唤了，而赶回安德拉奇的家里还有很长一段路要走。

热情的小山羊陪着艾莉一起走下台阶，踱步到停车场。我则前去付账。酒馆前门的两侧都挂了藤编的鸟笼，里面各有一只红脚山鹑。

"是养着玩的宠物。"吧台女侍者说。

"那只小羊也是？"

"是的，也是宠物。"她笑着说。

当她在收银柜里帮我找零时，我瞄了墙壁上的晚餐菜单一眼，让我大吃一惊的是，两道时令特色菜一道是"山鹑野蘑菇"，另一道更吓人，竟然是"马略卡式烤羔羊"。

我没敢告诉艾莉，否则很可能以从犯和教唆绑架的罪名被捕。

九月天秤座的图上画了一对天平，农事历上说：“这些日子的昼夜等长。太阳进入天秤座标志着夏日结束，秋天来临。”

照这么说，我可能被太阳和天秤座耍了，因为天气还是那么热，西班牙苍蝇还是像小跳高选手一样在厨房里跳来跳去，蚂蚁还是像无休止的大军一样在坡地上行军，小壁虎还是在阳光曝晒的墙壁上攀爬，几只蟑螂还是在储藏室地板上举行夜间赛跑。而蚊子也一样，继续提醒我们期待的秋天还早得很。届时将如农事历上所载：“冷气来袭，天气骤寒。”我们真是衷心盼望着！

可是我们终究熬过了山谷的第一个夏天，聪明了一些，且晒黑了不少。我们的生活节奏也结结实实放慢了下来，拜炎热的天气所赐，我们已经习惯于计划多、行动少，而且白天里大睡午觉，丝毫不会因为打拼的工作观而感到良心不安。反正冬天和柑橘收成的季节马上就要到了。

我们已经好一阵子没见到我们的邻居了，白天肆虐的暑气逼得他们宁愿在室内找个凉快的角落坐着。甚至安德拉奇镇正午的街道，都有好几个礼拜空荡荡的没什么人。只有黄昏的时候，路边人行道上才会出现一些居民，他们不想冒险做任何耗费体力的事，如街头漫步之类的，而只是坐在椅子上，透过窗子看自己屋子里头的电视。

霍尔迪也一样，这段时间相当低调，虽然有一次开车经过广场时我曾经看过他一眼，他就藏匿在努埃沃酒吧门厅后面，手里拿着一杯啤酒，看来并没有因为杯中物而气色不佳。只要气温一降下来，他一定又会到几个老巢穴到处走动，恢复和朋友厮混的老日子，毫无疑问。

尽管最近山谷里大家碰面沟通的机会比较少，小道消息还是传出来了，佩佩·苏沃担心的问题已经解决了。说是有一对美国夫妻买下了埃斯堡，他们只对那幢大房子有兴趣，所以要求佩佩继续像以前一样经营农场。这对夫妻有一对双胞胎女儿与查理同班，所以证实了这桩事情。这对双胞胎的名字叫作小甜甜和小辣椒，让人忍不住想到会给小孩取糖和香料这么有趣名字的人，应该会是很好的庄主。我们真心希望如此，等到春天佩佩再来修剪果树时，我们就可以从他那里听到一切了。

“森迪明天就要回苏格兰了，”一天晚上入睡前，当我正把燥热的脸靠在床头柜上享受电扇吹来的凉风时，艾莉提醒我，“我在想他还会不会回来。”

“船到桥头自然直，别担心。”

“查理明天也要开学了，家里马上就会变得很冷清了。”

“嗯。”

艾莉沉默了一会儿，我知道她已经开始想念森迪了。这会不会是某种做母亲的直觉，让她觉得森迪不会再回“市长府邸”了？也许吧，可是这时我只想睡觉。今天实在是又长又累的一天。

“晚安，艾莉。”

“你一定要想想办法赶走那些蟑螂。”

“我已经想过了，”我喃喃地说道，“我照老玛丽亚告诉我的方法，撒了一些胡桃树的树叶。”

“可是没什么用。蟑螂还是在那里，还有苍蝇。”

“嗯，我已经在厨房好几个地方放了抹过盐的柠檬片了，老玛丽亚说会赶走苍蝇的。”

“可是并没有。而且你听！”

“听什么？”

“有只蚊子。老玛丽亚还说在窗台上放盆罗勒就行，结果还是不管用。”

“也许我们该试试烧一坨驴粪。”

“别傻了。你真的要想想办法才行。”

“嗯，那我明天到五金店去买点杀虫剂回来好了。”

“你昨天就这么说了……前天也说过！”

“晚安，艾莉。”

“还有，找人给游泳池估价的事情怎么样了？”

“好吧，明天我也会去办。”

“你已经说了一个月了。”

“明天，艾莉，”我咕哝着，把床单拉过头抵挡蚊子的侵袭，“明天我都会办好。”

“希望你在变得什么事都慢慢来之前，赶快把这些事情弄好。”艾莉抱怨着，终于蜷起身子准备睡觉。“晚安！”

“晚安，艾莉，”我打着哈欠，“明天见……”